国家の自覚と国民の責任

濵田和彦

東京図書出版

心の窓を開けば真実が見える

序論 ―― 気がかりな日本

過去の錯乱を現在で回復しなければ、希望ある未来は開けない

私は先祖の縁や自然の恩恵を授かり、人生を開いて七十余年の年月を生きています。私の人生の存在と時間は、四季にたとえると春・夏・秋をめぐり、冬季に入って遊行期を迎えています。ですから晩節を迎えた人生をよりよく生きるには、日々の暮らしの中で楽しみをみつけながら精神的にも肉体的にも無理せず、無駄せず、無茶せずの三無主義に徹して遊行的に暮らすことが望ましいと思っています。

しかし、私には掛け替えのない生涯を如何に生きるべきかと自問するもう一人の自分が存在しているようです。

そこで私の胸の内を披露しますと、人間は数億分の一の可能性でこの世に生まれて五百万年の間、一度も途切れたことがないと碩学は説いています。この悠久な自然の生成過程の中で人間の命は夢一瞬ですが、それでも自然（神）が人間のみに理性を授け、万物の霊長としてこの世に存在させていることの意義は、未来へと続く自然を創造発展させる生き方を期待してのことであろうと思います。

因みに人間学の権威、安岡正篤氏は「現在は過去の終わりであると共に未来の始まりであります。したがって、過去を回復しなければ未来は開かない」と語っています。

この言葉を、現世に生かされた私たちが健全なる生き方をしなければ、未来に繋がらないと私は受け止め、安岡氏の言葉は、私が遊行期を迎えたこれからの人生をどう生きるべきかの意義と、次なる時代の扉を開く動機を与えてくれました。それは、先人たちが歴史を創造してきた中で、どのような足跡を我が国に残しているのかを顧みて、現代社会に積み残された課題と私たちが背負うべき役割を探ってみたいということです。

我欲が過剰すぎて理性を超えているのが我が国の文明病

人間は善と悪を共に内在して共同生活を営んでいるわけですが、人間社会は何時の世であれ、その時代を背負う天下人たちのご都合主義に流されて、共に生きる多くの人々も時流に従って、その時代の道が開かれているようです。その流れで困難な世が続くと、天の為す業なのか時代の「申し子」が世に出て、悪しき時代を変革する歴史の流れを私は感じています。

このような人間の生きゆく姿は、時代の存在と時間の波間に現象を残して消え去りますが、その歴史の陰では先人たちの肉体と精神が織り成した結晶である伝統文化が、次世代に引き継がれているのです。

その歴史を経て現在に生かされた私たちの社会は、現代文明の高度な進展とともに物質文明が一方的に発達し過ぎて文明病に陥っているようです。

今日、日本社会が抱える悪しき実相は、真に現代の日本の行く末を塞いでいる根本的問題といわざるを得ません。

その核心的とも思える今日、日本を錯乱に陥れた要因をご紹介しますと、

■要因1

人間が物質的文明を享受する陰で、理性という神の摂理を忘れたこと。

■要因2

米国の占領政策の影響を受けたこと。

この二つの要因から、我が国の社会改革は日本人の「指針論」に行き着くと考えています。

そこで、私たちの現代社会における生活の実態について、安岡氏の著書『人間学のすす

め』の表題「偽私放奢《ぎしほうしゃ》は亡国の因である」の中の一文を紹介しますと、

現代は人間が人間を見失い、自分が自分を見失ってだんだん機械化し、組織化し、大衆化し、したがって動物化する。人間が人間でなくなるから、自然人間の大事な本質である、たとえば愛にしても敬にしてもみな亡くしてゆく、だらしがなくなる。これを汚れるとか頽《くず》れるという。徒らに物質的な満足・享楽、功利主義・享楽主義になって、その結果遊惰《ゆうだ》になる。現代の言葉で言えばバカンス・レジャーなどというものの流行になる。（中略）終戦後アメリカ文明の奢侈贅沢、レジャー・バカンスなどを教わってから、わずか十数年の間に日本人の生活がどうにもならぬくらいに頽れてしまった。この辺で敬虔な心を回復して、国民の心を引き締めない限り日本は立直れませぬ。

と語っています。

この日本の姿を言論界などは、

「一億総白痴化という揶揄が飛びかうような社会に成り下がって日本人というものの本質・使命・幸福、そういったものが分からなくなってしまっているのではないでしょうか。」

と、私たち日本人に問いかけています。

さらに、日本人として深刻に考えなければならないことは、人間はその平和の中で堕落し易いということです。その姿は文明の便利な刺激に追われて反省や思索を失くして、こういう時代なんだと聞き流していて、己を無内容にしてしまっていることです。

この日本の有り様を私の心像で描くと、我々は日本の土壌・風土で菊の花を咲かせることを忘れて、大陸の砂漠の花を咲かせているように感じています。

この喩え話を解説すると、戦後の日本はアメリカの政策で神道を弾圧され、さらに日本人の歴史的・伝統的な心の根である個性・精神というものが戦後の乾燥した外来文化にまるで洗脳されるような状態で無視され続けています。この現状を憂いて、今の時勢、平和の中で堕落し易い日本人の精神気質を世に問うことは、人間の理性に訴える倫理的に必要な説得行為でしょう。しかし、私が本書で敢えて読者に訴えたいことは、我々はこのような行き過ぎの功利主義的風潮社会から目覚めて「繁栄の中の没落」を救わなければならないということです。そのためにも本書は過去二十世紀を反省し、点検し、現代社会の不合理な欠陥を世に問うて、人間改革、社会改革の必要性を訴えているのです。

そして、現代に生かされた人間の責任と義務を認識し、自己に目覚めて、新しい日本人の未来づくりの創造力が生まれてくるものと私は確信しています。

「自主独立」精神の乏しい国家は強国の支配の下で滅亡の道を辿る危険性があるのが普通である。我が国は戦前の必然の流れとはいえこの現実をどう考えるか

日本の二十一世紀を開いていく、最も重要な政府の責任は「日本の平和と独立」を守るということに違いありません。その目的を達成するための国家戦略は、自立・安全・経済大国としての世界貢献と災害に強い国づくりだと私は考えています。

日本の国づくりの土台として、過去・現在・未来へと繋ぐ「軸」をしっかり補強しなければ、国は安定しません。現代に生かされた私たちは歴史の足跡を点検し、過去の反省をした上で、私たちの健全なる未来を切り開かなければならないのです。その考えに基づいて日本の足跡を顧みますと、戦後の米占領政策の影響を引き摺っていて、我が国は今日まで日米安全保障条約を結んで非核と軽武装のギプスをはめられる情勢の中で、自国の平和と安全を米国の核の傘の下で無原則に依存していて積極的な努力をせず、独立精神を著しく欠いています。

さらにいえば、日本は非常事態に対する措置を憲法上の内容もない法制機構の中で、日本周辺を取り巻く国際環境といえば、ロシアとの間には地政学条件（日本列島が極東ロシアの海岸への通過を遮断しているので日露関係に緊張をつくり出しやすい）が存在しています。中国は国家的利益の範囲を拡張する懸念が見え隠れしています。また、朝鮮半島の

情勢は、南北関係問題の疑問と不確実性を残しています。このような厳しい極東アジア情勢は日本に政治的不安要因をもたらし、これからの対応を誤ると、日本有事の危惧さえ抱かざるを得ない状況下にあります。

以上、日本を取り巻く周辺国との厳しい状況を述べましたが、日本の国防上の観点からも、危機管理体制の重要性を深く認識して日本本位の防衛に備える必要があるのです。

しかしながら、「他国依存」の防衛力である現状から日本の安全を考察しますと、米国との安全保障条約は当然、堅持しなければならない路線であっても、「自分の国は自分で守る」という極めて常識的な認識に立てば、自立は日本の存亡に係わる最重要課題であります。

そして、敢えてこの問題の核心と思《おぼ》しきグレーゾーンにふれますと、アメリカと日本は日米安全保障条約を補完する政治同盟的な役割を果たしているとはいえ、国益を守るという視点に立てば、政治・経済・外交の面からみても、両国が必ず一致しているとは考えにくい。この視点から考えても、日本においては米国の植民地的立場から目覚めて「自立国家」としての体制整備を急ぐ必要があるのです。

また、今日の国際情勢を考えますと、前アメリカ大統領の政策を展望すれば、中国が世界の経済国として躍進を続ける中で力量を発揮して領海域の面で国益が一致した場合、大国同士のご都合主義に流されて、我が国は対米依存で植民地的ともいえる国情で推移している現状から日本が蚊屋の外に置かれることも、想像に難くありません。そうならないためにも、日本は現行憲法において現状で足りない部分を米国と調整して、日本本位の防衛を樹立し、備えあれば憂いなしの新しい日本像をつくっていく段階に入ったといえるのではないでしょうか。

国家の自覚と国民の責任◇目次

第一章　何している日本

㈠歴史を知らなければ現在も未来も見えてこない

この国の歴史を正視すること

私たちの社会の現実といえば、正しいと思える理念が民意にあっても、とかく権益を働かせて悪しき方向に走りがちなのが政治であります。

ですから、私たちは歴史を正しく認識し、これからの国家のあるべき姿に関心を持って「人生をどのように生きるべきか」「生活をどのように律するべきか」その意味をよく自覚し生きていかなければならないのです。

以上のことを考えて、私たちが忘れてならないことは、『世界がわかる宗教社会学入門』の著者・橋爪大三郎氏も社会学の研究についての解説の中に書いていましたが、「この世界を成りたたせている価値も・意味も過去の世界によって支えられているからである。」ということを深く理解することです。

そして、作家の石原慎太郎氏は「若者が、この国を愛するためには、まず、国を知り、歴史を学べ。それから全てが始まる。」と論述しています。石原氏の言葉は、戦後の日本が国家意識を希薄にした米国の占領政策によって、多くの日本人が今日、歴史・伝統を無視する傾向になっていることを懸念しています。この風潮は日本の民族的プライドを失わせ、いまだ自立の精神を喪失していて、その姿は錨のない船の姿に似て、民族というものはどうなるのかとの憂いすら秘めています。

この視点から、我が民族の意識改革を促す上において重要な示唆を与えてくれていて、この現実の姿を私たちは解決して、日本人の背骨《せこつ》の修復をしなければならないと私は思っています。

◇

先人たちが時代を超えて残した歴史は、民族が過去、現在、未来へと歩み続けて時を繋ぐ生活文化の所産です。先人に続く私たちも、伝統文化を引き継いで新たなる文化を創造して、次の世代に贈っていきます。

その歴史の意義について、碩学である社会学専門の橋瓜大三郎氏は、私たちに「過去を忠実に辿ることが、人間にとって最高のあり方である。」と語り、さらに「現代の世界の価値や意味をそのまま次の時代に伝達することが、人間の努めである。」と語っています。

橋瓜氏の歴史観は私たちに多くの啓示を与えてくれますが、人類の歴史が限りなく生成発展を続ける人間の生への力の根源なるものは如何なるものなのでしょうか。

この問いは、自然と人間との歴史を考える上で、とても意義深いものであります。

人類の歴史を顧みれば、人類は古代より栄枯盛衰を繰り返しているものの、長年積み上げた営為の結果として、現代の科学文明の発展を見るように、今も進化を続けています。

この繁栄を支えているものは自然に他ならず、自然の理法による恩恵を人間自身が素直に受け止め、社会の中で自己の生きがいと使命を見出し誠実に生き抜くことこそが、人生を開拓してゆき、歴史をつくり上げていると私は考えています。

また、先祖を辿れば、歴史は過去・現在・未来と連なる民族の永続性を認識できます。

歴史を正視する重要性は、人間自身、自然（神）が宇宙の進化発展を企てる中で、これに順応し、未来を開拓していく上で不可欠な知恵の集積であり、未来を洞察するための素材要件でもあります。

(二) 日本人の資質の変化

現代社会の複雑化や価値の混乱が、人々の生活行為の理性意識や感情情念の魔性をいだかせ、愚考の根源となっているように、私には見えてなりません。こうした社会現象が日本人の「資質の変化」を生じさせているならば、自己の心がけを正す必要があるという意味で、この実態を明らかにしておくことも、次世代に責任を担う私たちにとって意義のあることでしょう。

現代文明の矛盾

現代文明の発達の陰で、人間は常に森林破壊や環境汚染などを発生させています。たとえ人間の生活文化に必要なためとはいえ、人間は自然に対して加害者であり、自然と人間との間で距離が広がり対立するに至っています。

このような人間の意識の混乱が生じている現在の姿を一人でも多くの人々が受け止め、健全なる自然観を養っていくことを期待しまして、科学文明の矛盾を説いている農学博士・福岡克也氏の著書『森と水の思想』より、「第二章　環境を守る文化の再生」に掲載されている中の一部をご紹介します。

環境自身の破壊防止――拡大する危機――

（福岡克也『森と水の思想』より抜粋）

今日、われわれは大きな「矛盾の時代」に生きている。科学技術の発展が便益をもたらせばもたらすほど、逓増的に不可逆的な自然の犠牲を発生させ、われわれは自らの所業の故に、その痛みを日々受けなくてはならなくなるであろう。原子力の時代といわれても、強大なエネルギー供給の反面、使用を誤れば、大気圏のうえから原子炉の灰をあびせ、操作を誤れば、偶発的に核ロケットを無差別に人類の頭上に見舞う危機すらも生み出している。おそるべき大気の汚染も核の脅威と変らない。

私の所感

著書は私たちに、人類の科学文明による自然や生物たちに及ぼす環境破壊の恐るべき危機に立ち至っている現実を説いているとともに、いまや人間の理性に目覚めて自然環境を守る文化の再生を訴えているように理解できます。

人間の生存にとって、勇気ある自制が必要な時代に入ったといえるでしょう。

精神文化の衰退

日本は今日、未曾有の経済技術の発展を遂げ、豊かな大衆的物質文化を築いて平和を享受しています。

しかし、この五十年余りの間、過渡的に進んだ資本主義は殺伐とした競争社会をつくり人々の欲望を喚起しています。この社会背景を探れば、昨今の日本は消費や欲望をどんどん拡大させて、自己の利害関係のみで相手の気持ちを考えない、極めて個人主義に価値を見出した親たちが目につくようになりました。

また、日本人としての誠実さが空しくなり、みんな小賢しく、要領よくなっています。この生き方が個人の価値観として社会に定着し、人々の心の歪みを増幅しているのではないでしょうか。

もはや、経済優先を謳歌する人々は思考力を欠き、視野も狭まり、人心の荒廃たるや往時の見る影もない淋しい社会に成り下がり、その上格差社会や少子高齢化社会に陥って我が国の未来に暗い影を落としています。

日本人の「精神の空白」

日本は明治元年、国家として出航してしまった以上、小さな島国でひっそりと生きていくわけにはいきません。

この孤島の宿命を背負った商人国家が、世界の国々が主張する国益の風を受けて、今日の厳しい国際競争の現実を考えると、私たちが暮らす日本は、物を造って売ってこそ国民の生計が成り立つのですから、世界の国々とは、多少困難があっても友好精神を忘れることなく、貿易国家の健全性を保たないと、国民を養う商売は成り立たないのです。

真に私たちの歴史と伝統文化である「和の精神」は、国家の命運を担うほど重要な外交戦略的要素なのです。

この考えを踏まえて、昨今の日本の現実の姿を顧みますと、多くの日本人の生活文化の価値観は、物質本位で自己中心主義の生活を優先する人生観を持った心淋しい時代を生きていて、その姿は世界の「お得意様」から信用を失うような、非常に硬直的な思考が災いしているようです。

そこで、世の識者の方々の現代社会を生きる日本人の率直な批判を注視してみますと、やはり我が国の行く末を案じています。その主張を参考までに紹介しましょう。

✧経済人の主張

日本社会は世を挙げて無関心時代、日本は「心」淋しい時代を生きている社会。

✧人類学者の主張
日本人の精神の空白、利己的な権利者などの「心」から流れたご都合主義社会。

✧哲学者の主張
経済大国と呼ばれ未曾有の繁栄を謳歌している我々だが、心の空虚さは、昨今、殺伐とした多くの事件が証明している。そういう時代であればこそ「心」を知る必要を痛感される社会。

✧法学者の主張
日本は物事を表層的にしか捉えないことが多い社会。

✧ジャーナリストの主張
周辺国との不和の拡大で我が国は孤立化を早める社会。

以上、世の有識者たちの現代社会への主張は、我が国を憂う「声」となって、私たちが生きる社会に広く行き渡り、良識ある人々の心に座しています。

この社会の現実からいって、現在の日本社会には「精神の空白」が生まれているように私は感じます。

(三) 日本の現実

良識ある世論の解決が日本の未来を開く

人間社会は歴史の変転をめぐれば、いつの世も国内外を問わず権益などをめぐって争い困難を招いています。それでも先人たちは「教訓」と「知恵」を生かし、現代へと継いできました。これが先人たちの賢さであり、民族を思う責任であったのではないかと私は考えています。

そして現代に生きる私たちは、先人たちと生きる世は違っていても、人生を辿る道はいつも新たであり、たとえ世の中が厳しくとも先人たちが築いてきた文明、文化の遺産は、次世代へと継承する責任と自覚を求められているのです。

したがって私たちが健全な社会を築き、さらに発展させるためには、現代社会における共同意識の醸成を妨げている要因を明らかにして、これを克服しなければなりません。

その改革の力となる社会診断にあたっては、先哲や世の識者の現代社会への深い研究に培われた批評や社会への正義感に期待したいところです。

要は、良識ある世論に学ぶことは、例えば暗夜の灯台が荒海に光を放って船の安全を導くように、人々は世論という光に導かれて安全・安心な人生の旅路を辿りゆく。その行動こそ健全なる社会を次世代に継ぐ原動力になるものと私は考えています。

先賢の人物が現在を見る目

最初に紹介する人物は、人物学の権威、安岡正篤氏です。左記は著書『人間学のすゝめ』の中の一部を引用しています。

現代文明の実体

今日の日本は物質的・機械的にはたいそう盛んになったようであります。しかしその反面に、人というもの、個人というものの内容が非常に空虚になってきておる、だんだん自己というものを失いつつある。これにはいろいろの原因がありますが、第一に多忙ということです。現代人は忙しすぎる、刺戟が多すぎる。そのために追い廻《まわ》されて、物事をしみじみと考える、というような余裕がなくなってきております。

また、余りにも組織化・機械化したために、もう人間が組織人・機械人、機械の一

部品になってしまって、人としての独立性とか、内容とかいうものはゼロになりつつある。（中略）

今日の文明生活の一番の根本問題は、人間が自己を回復することである、それに基づいて自分をつくってゆくことである、と言ってよいと思うのであります。それをしなければ、文明は栄えるが如くにして亡びる、繁栄の中に没落することは確かであります。

まず自己をつくることが肝腎

そういう意味でわれわれは、いかにして人間を、自分を回復するか。自分というものが一体どういう人間であり、どういう値打ちがあり、どういう意義があるか、ということを考えねばならぬわけでありますが、（中略）人間をつくる、自己をつくるということが、なんといっても学問・教育の一番根本的な意義でありますが、その学問・教育も、現代はやはり形は栄えておるようで、内容はだんだんとなくなって、単なる機械的知識技術に堕しつつある。自然科学も、社会科学も、たいそう盛んになってきておるようであって、それを通してもっと深い宇宙・人生、自己というもの、性命というもの、あるいはその内容というようなものに深く参じてゆくということになると、実にあやふやなものであります。
　もっと誰にもわかる現象を申しますと、今日の一般学問・教育というものは、ほとんど学校教育になって、自己教育とか家庭教育とかいうものがなくなってしまいました。人間の魂と魂とが触れ合って、火花を散らすような個人教育・人間教育などというものがなくなってしまって、何千何万という尨大《ぼうだい》な学生を収容する大組織の学校をつくって、これまた何十何百というたくさんの講師や教授を集めて、まるで大工場で物品の粗製乱造をやっておるような教育になってしまいました。こういう教育をやっておると、物品のような人間がたくさんできるでしょうが、本当の意味の人物というものが養われるはずがない。（中略）
　こういうことで一体人間というものは、日本民族というものはどうなるのか、ということを今日われわれは本当に考えなければならないと思うのであります。（中略）
　しかし、今は国民の運命を最も直接、かつ強力に支配するものは政治である。そして、政治家によって立案・企画された政務を事務的に取り計らうのが役人であるから、したがって、政治家・役人がもっとも国家・民族の運命を握るものである。
　その役人とか政治家というものが今どうなっておるか。これだけ文明が進歩したのであるから、これもよほど進歩しておるのかというとこれがまたご多分にもれず内容

は似ても似つかぬことになってしまって、実に目に余るような頽廃・無能振りを発揮しております。（中略）

そこに、文明は栄えながら、民族・人間が亡びると言う現象が起こってきておるわけであります。

私の所感

先哲の言葉には、私も心から共感します。現代社会を一国民として顧みますと、物質本位の生活が優先され、我欲が理性を超えた人生観から「心」の荒廃した社会へと追いやられています。この悪しき社会風潮の健全化に向けての第一歩は、社会の人々がこの実態を認識し、反省することが糸口で、「人間のあり方」を社会の人々に広く啓発することが大事だと考えます。

その啓発の重要性からみて、安岡氏の我が国の社会への批評は、一昔前の内容かと思いきや、むしろ現代社会において現代人の心に刺さる思いを感じますし、続く者に多くの啓示を与えてくれるでしょう。

次に紹介するのは、財団法人「天風会」創設者、中村天風氏の著書『叡智のひびき』の中の一部です。

「思いやり」という事を

（中村天風『叡智のひびき』より抜粋）

社会のどの層に活きている人を見ても、自己の利害関係のみを本位とし、いささかなりとも、利害関係に相剋《そうこく》のある場合は「思いやり」などという心持ちを露《つゆ》ほども出さず、断然極度のエゴイストになる人が実に多い。

そして、この風潮は、嘆《なげ》かわしくも、夫婦、親子、兄弟姉妹の間柄にも浸透している。

だから概して、和気あいあいたる、平和な状態の家庭が現代極《きわ》めて少ない。

これというのも、畢竟《ひっきょう》「思いやり」という、聖なる心情の発露《はつろ》に一番大切な根本要素である相手方の気持ちになるということを考えないからである。（中略）

なおかつそうした気持ちになれないというのは、そも一体いかなるわけかというに、それはせんじつめれば、畢竟《ひっきょう》その人の人生観なるものが、あまりにも「自己中心主義」に偏重《へんちょう》されているからなのである。（中略）なぜ人間というものの大部分が（特に現代の)、「自己中心主義」という人生観で活きている人が多いのかということである。それは、(中略)「世界観が、正当に確立されていない」からだと、断言する。

そして世界観が正当に確立されていないのは、せんじつめると宇宙の真相というものに対する考察と理解とに、徹底《てってい》したものを、その人生知識の中にもっていないがためであるということが、その原因をなしているのである。

事実において宇宙の真相というものが、正しくわかってくると、自己中心主義という人生観は、決して完全人生に活きんとする者の正当な人生観でないことが、自然と合点《がてん》できるようになる。

私の所感

天風氏の人間像が透視できる論述です。

氏が考える「人間が正しく生きるための哲学観」は、私たちが平素、見過ごしてしまうような物事の一つを取り上げ、思慮深い意義づけが語られています。それは内省を含めて人生を正しく生きるための手引きとなります。

また、その内容たるや今日の時代を迎えても新鮮で、現代を生きる私たちにも深く理解できて、眼を覚まさせられる思いがします。

因みに、現代社会を生きる人々の生活観はどうなのか私なりに考えてみますと、今日、私たちが住んでいる社会を見渡すと氏が指摘していますように「思いやり」を持つ人は意外と少ないような気がしています。逆に心の冷たい人が多く、嘆かわしい社会になっているのではないでしょうか。彼らは自己中心的に生きていて、とかく失敗を他人のせいにするため人間関係も破綻しがちです。その行き着く先は常に世間への不平不満を抱き、自我欲に溺れて苦しく未熟なまま老いてしまう淋しい人生の姿が見透されます。

氏は、このような人間の心の荒廃した社会を顧みて「一生しかない人生をもっと深く考察してみてはどうか」と苦言を世の人々に呈しています。その反省を得て、人間が正当な人生観を抱いて生きるための基本的な考え方は、人間はどうしても一人の力では生きられず、「自他共在」の精神を深く認識して社会に参加し、その発展に自分なりの努力を尽くすことが大切であることは言うまでもありません。それに加えて人間は我欲と理性という相反するものを携えて生きる動物ですので、そこには精神面のバランスが必要で、それには人間力の源泉である「素直な心」で人生を生きることが大切だと自分に言い聞かせていて、経営の神様と呼ばれた松下幸之助氏は、「素直な心になると物事の実相がわかり人間は正しく、強く、聡明になってくる」と語っています。

そうなることで、物事の是非善悪を正しく見極める知恵もついて己の「エゴ」を克服でき、私たちの社会を健全化へと導くことになるものと私は考えています。

次に紹介する人物は、宗教家で創価学会名誉会長・池田大作氏です。松下幸之助氏との共著『人生問答』の中の一部を引きます。

既成宗教はあきられたが

（松下幸之助・池田大作共著『人生問答（上）』より抜粋）

宗教・哲学とは、日常的なさまざまな生活体験、精神的な葛藤などをとおして、その奥にある人生の意味を考え、生命の本質を探るところに存在します。そして、この根本的な問題について得た信念から、ひるがえって人生をどう生きるべきか、生活をどのように律すべきかの英知がわいてくるのです。現象に流されるだけなら、それはいかに知識をもっていようと「才能ある畜生」の域を出ません。その「意味」を考えてこそ、初めて人間は人間としての価値を持つのではないでしょうか。

とするならば、人間が人間として存在しようとするかぎり、宗教は必要だということになります。というより私は、宗教をもつことこそ、人間の不可欠の要件であるとさえ考えています。

今日、既成の宗教が人びとの心をとらえられなくなっているという現象を考える場合、こうした観点にたってみると、まず人間が人間の心を失いつつある現代文明の象徴的な欠陥が浮かびあがってくるのです。本質の世界、内面の世界を求めようとせず、生命とは何か、運命とは何かという問題を、恐れずに見つめ、取り組もうとする姿勢が失われつつあり、情報におどらされ、みずからの思考力を喪失して巨大な社会機構のなかに埋没して管理されつつある人びとの姿が、この現象のなかに見えてくるような気がします。

私の所感

現代人の心についての根本的問題は、「人間の生き方」はどうあるべきかということではないでしょうか。

このように考えてみると、人間は自然界に生かされていることからして、宇宙の真相を感得して自然の摂理に従った素直な生き方こそ求められているように思えます。

そして、先に述べた宇宙の真相なるものは、素人である私が考えますに、宇宙を統べる自然の根本法則なるものではないかと推察しています。それは自然の背後に宿っている「真理」と考えてもよいのではないでしょうか。

従って、人間は目に見えない、その真理を人生道の根本を支える知恵として生かし、自分の存在、自分の生活、自分の仕事というものを意識し、創造していくことで、人間に与えられた使命を果たす生き方ができるものと私は考えています。

そして、人間が多岐多端な人生を生きる上で最も大事なことは、「縁」と「忍耐」と「信念」を駆使して独自のネットワークを形成することです。それと同時に、人生はただ一生懸命に生きていても、道理に従った生き方ができていないと、自ずと人生の到達点が異なるということを心に留めておくことも大切です。

ところが、人間は正しい知識と思考力を喪失すると人生航路において船の操縦方法を知らずして荒波に揉まれ、哀れな漂流者として淋しい人生を終えることもまた、私たちの一つの末路といえるでしょう。

その根本原因は、その人の人生態度が素直さを欠き、真実を極める生活態度が積極的でないからだと私は考えます。

その生き方を省みると、人間は日々の生活の中で価値判断、判別能力が求められていて、これは見識を養うことで磨かれていきます。

この見識について、人間学の権威・安岡正篤先生は「現実ないろいろな理想を持って、矛盾・抵抗・物理的・心理的・社会的な貴重な体験を得て生きた学問をしてきませんと見識・識見というものは養われません。」と論じています。

さらに人生を生きる上において配慮すべきことは、人間は「心の置き方」次第で、自分の人生を左右するという全く油断のできない厳しい現実を意識して行動することが、人生の要諦であると私はこの年を経て考えています。

最後に触れておきたいことは、池田氏の哲学観は、人生の本質やその内容の世界を広く、深く語っていて、人々の心に染み入るものがあります。

続いて紹介する人物は、第七十一～七十三代内閣総理大臣、中曽根康弘氏です。著書『日本人に言っておきたいこと――21世紀を生きる君たちへ』の中から一部を引きます。

二十一世紀の日本の世界史的使命とは

（中曽根康弘『日本人に言っておきたいこと』より抜粋）

近年、ますます顕著になりつつあるのが、歴史にたいする軽視ないしは蔑視である。日本の歴史はあたかも戦後消滅したかのように論ずる人もいる。日本には独自の歴史がないばかりか、世界に誇れるものもないように述べる論者すらいる。そして憂うるべきは、政治家の間にも、こうした過てる思想に染まった人たちが増えてきたことであろう。

日本の歴史が、独自のものであることは言を俟たない。それはいかなる国家も独自の歴史をもっているという意味以上のものがある。強い地域的一体性、永い時間的継続性、さらには豊かな文化的独自性と多様性など、日本の歴史は、世界中の国々と比較しても際だった特徴があることは間違いない。

その中で日本人は天皇制という独特の政治・文化制度を生み出し、人々が相互に気遣う特色ある集団的生活を形成し、「わび」「さび」「あわれ」といったような類例のない感性の美を内包した芸術的表現を作り上げてきた。

これからの日本の生きる道は経済力を備えた文化力で世界に貢献していくということだろう。その貢献においては世界の多元性、文化性を認め合う寛容的な姿勢が大切だ。その寛容性をもって日本は、先進国の間においても足並みを揃えながら、率先して発展途上国や最貧国を助けていく。あるいは先進国と途上国との間の調節弁になる。これが二十一世紀の日本の世界史的使命である。

理想を教え伝統を伝えるのが教育の使命

たとえば、教育基本法（旧法）の前文を読んでみましょう。

われらは、さきに、日本国憲法を確定し、民主的で文化的な国家を建設して、世界の平和と人類の福祉に貢献しようとする決意を示した。この理想の実現は、根本において教育の力にまつべきものである。われらは、個人の尊厳を重んじ、真理と平和を希求する人間の育成を期するとともに、普遍的にしてしかも個性ゆたかな文化の創造をめざす教育を普及徹底しなければならない。ここに、日本国憲法の精神に則り、教育の目的を明示して、新しい日本の教育の基本を確立するため、この法律を制定する。

ここには、誰も否定できないような理想が述べられていますが、しかし、日本の歴史や伝統への配慮が皆無です。日本国憲法の下にありますが、その日本国憲法が全く日本的独自性の欠落した占領改革の遺物なのです。

そして第一条には、教育の目的として、「教育は、人格の完成をめざし、平和的な国家及び社会の形成者として、真理と正義を愛し、個人の価値をたつとび、勤労と責任を重んじ、自主的精神に充ちた心身ともに健康な国民の育成を期して行われなければならない」

と定め、また第二条には教育の方針として「教育の目的は、あらゆる機会に、あらゆる場所において実現されなければならない。この目的を達成するためには、学問の自由を尊重し、実際生活に即し、自発的精神を養い、自他の敬愛と協力によって、文化の創造と発展に貢献するように努めなければならない」と述べています。

このように、教育基本法には民主的文化的国家や世界の平和と人類の福祉などが掲げられており、これ自体はけっして悪いものではありえません。

しかし、日本人の教育基本法である以上は日本の個性はどこにあるかを探求し、それを育むという姿勢が必要なのではないでしょうか。教育の根本は、日本の風土と歴史を背景にした、世界的な日本人を作るものでなくてはならないからです。

日本人の歴史を振り返ってみれば、一神教ではなく多神教です。自然との共生を喜び、基層において神道、表層において仏教の影響が比較的大きく、平等を学び、家庭が社会の重要な単位となって国家の基礎をなしています。そういう文化や伝統を尊び、それを子孫に伝えながら、世界の中の日本人として夢と理想を持ちながら国を発展させる。それが教育というものではないでしょうか。

もちろん世界的に普遍性を持ったことも教えなければなりませんが、それだけでは日本人に背骨がなくなるということを私は言いたいのです。教育を論じるにあたっては、私たちの暦と未来の中の生き方を基本としなければなりません。米国に星条旗が氾濫し、英国人は国歌を競技のたびに歌っています。

(四) 日本人に求められている問題

欲望を客観的に判断し正しく自分と向き合うこと

人間の欲望について書物で得た知識ですが「私たち人間は欲望に生きているといってもよいでしょう。人より少しでも多く働いて、それ相応の収入を得たいと思うのが本心であって、欲望のない肉体は死んだ肉体であって、つまり、欲望は人間の原動力といってもいいものです。」と説いています。

右の文章を私なりに解釈すれば、人間にとって欲望とは、自己を維持し拡大するための力、さらに、使命力としての本来の性質を明言したものと受け止めています。

確かに人間の欲望は生きる上においての原動力には違いありません。しかし本来人間が人間たる所以は、神から授かった理性を優先した生き方にあることを私たちは自覚して生きなければなりません。

そうでないと、我々は本能の赴くまま、共同意識の醸成を妨げる自己中心的で思いやりのない社会の中で生きなければならなくなります。

ところが、既に私たちが生きる現代社会は、悪しき環境に染まっているようです。その現状を語れば、多くの日本人が物質的欲望を肥大させ、経済繁栄の時代を生きていて、その喜びは働くことよりも消費と娯楽、レジャーに向けられ、各々が勝手な論理にはしり、自分さえよければいいんだという行動が目立ちます。そして、物事の節度やけじめを失って、堕落への道を歩み始めているといっても過言ではないでしょう。

さらに我欲を抑えない人は、もはや理性に目覚めることなく、道徳的自制心を欠いた野放図な自由や権利主義と大衆迎合主義に埋め尽くされ、その生活行動は無責任で社会秩序を崩壊しつつあります。

以上のような我欲が優先された生活を省して社会を健全化するには、私たちは人生の居住まいを正し、自分と向き合う時間を確保する必要があります。人生をどう生きるべきか、生活をどう律するべきか、人間本来の自己を取り戻すことも、人間性を回復する上において意義あることです。

◇

こうした現代社会に宿る私たち人間の身勝手な我欲（エゴ）の実体は、何によってもたらされているのでしょうか。

人間には二つの「私」がいると言われています。一つは、本来の自己である「私」。もう一つは、現実の自我としての「私」です。この現実の自我こそが「エゴ」のことを指します。

人間学の権威とされる安岡氏は、「人間というものは、とにかく自分の外にあるものはよく見聞するが、自己そのものを見ようとしない。自分を見つめて、自分の中に埋もれて秘められているもう一人の自分にめぐり合うことが大切。」と説いておられます。

また、東大仏教青年会禅会師・秋月龍珉さんは「私たちの人生における悩みは、身勝手な『自我（エゴ）』に縛られているために、本来清らかであるはずの『自己』を見失ってしまうことから生じる。」と説いています。

先哲たちの右の言葉に秘められた真意は、人間の心の中には無限に欲望があり、それを持つことによって人生に生き甲斐が生じるでしょう。

しかし、その欲望も自分だけのことを深く意識すると、暴走して不浄に走り勝ちになり、人生を破滅へと導きます。それが人間の脆弱さであり、一方で「人間臭さ」という面白さなのかもしれません。

人間社会の愚かさを真摯に受け止める人間力

☑ご都合主義に生きる人々

世界的な映画監督だった黒澤明氏に関する逸話に教えを受けますと、人間の「愚かさ」と「弱さ」について「人間は幸せになる権利がある。しかし、不幸になることばかりやっている。そして誰かが語っている。サルは火を使わない。それは手におえないからである。しかし、人間は、核のような一瞬の内に人類を破滅させる危険極まりないものを扱っている。何故か、それはご都合主義人間がいて、人間は間違っていても、誤って使うことはないとタカを括っているからです。」と述べています。

右の黒澤氏の言葉は、見事に人間の不甲斐無さを説いていまして、深く意識してみますと、神は天地創造して人間のみに「理性」を与えているようですが、その「理性」を生かすも殺すも人間自身に委ねられているわけです。ですから人間が「理性」を働かせて生きることの責任の所在は、真理を求めて実践する生き方に内在していて、そこに人間としての価値が問われているのではないでしょうか。

しかし、誰であれ良心に問えば認識していることであっても、心の内の我欲が自己を超えれば、残念なことにそれを自覚することなく、ご都合主義を優先する優柔不断さが人間にはあるのです。

☑家庭崩壊の愚

私が幼少の頃、親などから「おじいさんは山へ芝刈りに出掛け、おばあさんは川へ洗濯に」との昔話をよく聞かされました。

当時の日本は、まだ戦後で物不足の時代でして、家庭では両親を中心に老人、孫と三世代が同居して家族が適性を活かし、協力しながら暮らしていました。

家族の日常の暮らしの姿といえば、父親は「家長」の立場にあって一家の「稼ぎ頭」となって家族を養っていました。母親は家内と呼ばれるがごとく、掃除・洗濯・子育てをこなし、家庭を守っていました。

そして、老人はといえば先祖を尊び、豊かな人生経験を活かし孫たちの面倒や家族の手助けなどに生き甲斐を感じていました。そしてまた、子供たちは家族に見守られて自然に親しんで伸び伸びと育てられました。

また、時節の中で「お祝いの日」は一家団欒で食卓を囲み、語り合いました。

そして、家族に不幸が出れば家族・親族で死者を看取り、葬って互いに悲しみを乗り越えました。

要は、人生の揺りかごから墓場まで、家族が互いに適性を活かしながら明日への希望を抱き暮らす日々の中で、家族の絆を中心とした「相互依存」の社会が成り立っていったのです。

このように近所の人々が寄り添い互いに助け合う社会は、日本の歴史と風土に宿っている「和の精神」を大切にする、人間生活で理に適った生活文化だったといえるでしょう。

ところが現代社会における家族の暮らし方といえば、社会構造の変化が悪い方向に影響し、「家庭崩壊」が進んでいるようです。

この現象をもたらしているのは何なのか。

私が大きな要因と考えていることは次のとおりです。

■その一

現代社会を透視すれば、人々の権利意識の増長や少子高齢化社会の歪みが浮き上がります。その原因として、日本人はかなりの部分で自己中心主義に生きていて「縁」や「感謝の心」そして「忍耐」など人間の根本的精神が軽視される社会に成り下がっているように私には見えてならないのです。

■その二

現代社会は、家庭環境そのものに変化が生じているようです。

家長であるはずの父親がすでに弱き立場の老人や、次の世代を担う子供たちを守ってやれない権威と徳のなさ、そして家の内を守るべき母親が生計の手助けにとやむを得ず、家事を人の手にゆだね家を留守にする形が、徐々に家族を追い詰め、心寂しい世を構築しています。

ところが政府は目先の対応に追われて、女性の社会参加を政策に掲げながら、家庭崩壊の原因を根本的に追及する様子は見えません。

我が子を育てる責任は、無論両親にあります。

子育ては万物がそうであるように、母親の存在は子供の成長において絶対的なものです。

さらにいえば、母親は我が子にとって「天道さま」に等しい存在なのです。

なぜならば、母親の愛情を浴びることなく育てられた子は、太陽の光なしで育てられる植物と同じで、軟弱に成長してしまうのです。

それほどまでに母親の愛情は、子供にとって人間形成の基礎作りに不可欠なものなのです。

さらに社会の健全化に大事なことは、母親不在の留守家庭は家族の生活リズムを乱し、健康面に悪影響を与えます。そのことは睡眠障害、不登校など歪みとなって表れ、家族が安心して生活できる環境が確保されません。

このような生活が続くと、人々の心は荒んで、やがて「家庭崩壊」へと流れゆくことは火を見るより明らかで、その歪みを放置し蓄積された結果が、今日の我が国なのではないでしょうか。

「家庭」は国の石垣です。従って、母親が不在の家庭に扇の要が外れるがごとく崩れゆく我が国の危機を感じずにはいられないのです。

現在、我が国は経済優先の社会をつくり上げ、政府は女性の輝ける社会づくりを声高に推奨し、女性の社会進出を促進しているようです。このまま続ければ女性は「家庭の主婦」から「社会の戦士」へとシフトし、少子化社会はますます深刻化するでしょう。

この政府の方針は、日本がさらなる少子化社会への対策として女性を労働力の補充役として考えているのか、それとも国土に対して人口は四千万人程度が理想と考えて少子化社会へ意図的に踏み出したのか疑いたくなります。

子供たちは将来の日本を背負う担い手です。国の宝である子供の将来に誰が責任を持つのか、その環境づくりに向き合う覚悟が日本社会にできているのか問われているのです。

☑ 地域社会に宿る「住民エゴ」

私は広島市の職員として四十二年間に亘り行政に従事しました。その視点で市民生活を覗けば、実に多様な「住民エゴ」を見てきました。

ここでは地域社会に宿る「住民エゴ」、さらに日々の市民生活を通して行政窓口に届く「住民の要望」「苦情」を取り上げてみたいと思います。

ここで行政体験を紹介する意図は、全国の行政体に共通する市民生活上に生じる「住民エゴ」の問題として受け止めてくださることで、これが市民意識の向上に役立つことを期待する次第であります。

広島市の政令指定都市は、全国十番目で昭和五十五年に誕生しました。広島市は名実ともに百万都市となりました。それにいたる昭和四十六年から十年間、広島市は周辺町村との合併を推進するため、各町村との間で道路・公園・下水・河川など要望を受けてインフラ整備など合併建設計画を締結しました。同時に合併後の広島市政の普及を推進するため、合併建設計画の覚書にある周辺市町村との約束事項の実現を目指し、箱物整備など遂次計画を実施しました。

広島市の市勢要覧によれば、広島市には社会教育活動推進のための地区公民館は四十五館建設されています。これに併行して地区の連帯作りの一環として地区集会所が促進されました。この集会所の建設に当たっては、当時、地区住民と地域から選出された市会議員が集会所を我が地区にもと競いました。私が住む地元地区にも公民館が二カ所、エリアの中に一館、西に一館それぞれ建設されていて、更に同地区内には集会所が設置されています。地元住民にとっては便益施設ではありますが、運営状況をいえば、年間使用率は二〇%に満たないといいます。

その上、問題なのは、広島市全域の集会所の設置状況から見て、維持管理に要する予算も行政上のお荷物になっているものと想像できます。

これからは縦割り行政の壁を越えて、公民館を多目的に使用することで文化行政の合理化が推進されるそうで、喜ばしいことです。これも元はといえば了見の狭い地区間競争が、地域の「住民エゴ」を高めた結果に違いありません。同時に当時のこととはいえ、行政体の経営意識の低さが窺えます。

◇

私の勤務履歴の内、最後の十年間は三つの区役所を移動し建設関係の管理部門に従事しました。

業務は道路・公園・下水・河川・農林の全般事務でした。

具体的な内容としては、道路占用など許認可処分、境界査定、不法占用の是正、構造物など管理瑕疵の補償、不法投棄の監視及び処理、公園使用の許可処分。上記業務に関する市民からの苦情、要望の対応は各区ともに年間千件相当はあったように記憶しています。

次に、これら行政の窓口に届く「市民の声」の中にあるその一部を紹介したいと思います。

公園管理業務の実態

私が在職した広島市南区管内には、市民の憩いの場である比治山公園や瀬戸内海沿岸の元宇品公園が座しています。

これらの公園管理上の問題が「市民の声」となって、日々、行政窓口に届いていますが、その多数の声から二例を紹介したいと思います。

■例①
元は飼い主の無責任で放棄された野良犬や野良猫が、公園地内を生活の場としていて、地元住民などから捕獲の要望、苦情の多くが行政窓口に届きます。犬の場合は捕獲し飼育管理事務所で処理していますが、猫の場合は捕獲していません。この対応について市民の中では賛否両論です。

それというのも、野良猫に継続的に餌を与える市民も多く、繁殖を助長するので、これを改善すべく行政指導を行えば、動物愛護に反する指導だと否定する市民もいて、この対応に苦慮しました。でも、晩秋から冬季に至ると猫たちは厳寒に耐えられず自然淘汰されているようで、やがて冬季には市民からの苦情、要望の声も落ち着きを取り戻します。

■例②

児童公園内では「危険な球技遊びは禁止」と制札板を設置しています。にもかかわらず、行政の窓口には近隣住民から親子などがキャッチボールやサッカーをやっていると、公園使用上の苦情が届きます。しかし市としても、常に現場監視しているわけにはいかず、危険な遊びかどうかの判断が難しく通報者の説得などに手を焼いています。

道路管理方面でも「住民エゴ」と思しき行為が市民生活に多くの弊害を招いています。その実態と言えば道路歩道帯に宣伝用の「のぼり」「立て看板」「自転車放棄」「不法投棄物件」「焼却炉」「植木鉢」などが不法占用されていて、歩行者や隣接者の妬みや、商売敵などから除去処分など多岐に亘る苦情が行政の窓口に届きます。道路管理者はその是正指導に日々頭を抱えているのが現状です。

さらに公有地隣接者との境界問題、公有地内の不法投棄、浮浪者の対応など市民生活上の安心・安全な社会づくりに専念する日々でありました。

市民生活に奉仕する者にとっては、市民からの苦情や要望の対応は、市民との接点の仕事であるだけに仕事のやりがいを感じます。しかしその実態をいえば、「住民エゴ」の吹き溜まりになっています。因みに道路の不法占用者の是正指導に関しての事例を紹介しますと、道路の通行人から行政窓口に不法物件の苦情が届き、その是正を不法占用者に伝えると、「不法物件はここだけではない、他の場所にも沢山見受ける、何故、私のところに先に指導が来たのか」と憎まれ口を叩かれ、挙句の果てには「お前たち公務員は税金ドロボウ」と揶揄される始末。

公僕とはいえ、忍耐と修養の場でもあった気がします。

◇

以上、色々な思いを去来させつつ住民の「要望」「苦情」の実態を取り上げましたが、顧みて改めて思うと、現在人間は自由を求め、欲望を最大限に解放しようと躍起になっている人々の生き方が主流となっているのでありましょう。このような人生観からは、人間本来の理性を重んじる社会改革は、安易ではないような気がしてなりません。

これは書物から得た知識ですが、神は人間のみに「理性」を授けていると言われています。

「理性」の意味を辞書で引けば「道理」によって正しく判断する能力、合理的思考力と書いてあります。その「理性」は人間本来の自己によって目覚めるのでしょうが、その自己は大自然の恩恵や両親の無償の愛や社会に共存する人々の思いやりに感謝する心を養うことで育まれるものと私は感じています。

さらにいえば、物事を行う筋道としての「道理」といったものをわきまえ「欲望（エゴ）」を客観的に判断することで自らの姿勢を正す生き方ができるのではないでしょうか。

(五) 少子高齢化社会に背を向けるな

少子高齢化社会の実態

我が国には物欲に価値を見出す自己中心主義の人が多くいて、他者に対する感謝の気持ち、思いやりのない社会をつくり上げて幸せを感じにくい時代になってしまいました。

さらに社会問題を提起すれば、大自然に対する畏敬の念を軽んじた原発事故、人間の相互依存の社会的理性を欠いた格差社会、そして、核家族化による家族と地域の崩壊が広がっています。また、少子高齢化社会という生産年齢が減少する社会を漂流していて、我が国の将来はより怪しくなりました。

現代社会が抱える山積みした問題の中から、我が国の生産性の視点で将来を見据えた課題を取り上げれば、やはり「少子高齢化社会」をいかに克服すべきかが最も重要な課題といえるでしょう。

この課題について再点検してみますと、「少子高齢化社会」は国の財源が限度を迎え、社会保障制度が綻びを増す中で、老夫婦の生活ぶりは年金でしか収入を得る当てもなく、生活不安や身体の衰えに気を取られ、現実生活の中で生き甲斐を感じない消極的な日々が窺えます。

我々高齢者は、このような淋しい生き方で、忍び寄る高齢化社会をどう生き延びるか判断する意志の統一作用が働いていないのでしょう。

しかし、人間の体の衰えは老化現象に起因しての事であり、誰であれ気がかりには違いありませんが、そこで弱気になって人生を諦めるしかないのでしょうか。

答えは否。人生は老成期が登り坂、一度しかない人生をいかに有意義に生きればよいのか、私は次のように考えています。

老人力を生かす社会づくりが重要

私が暮らす里山周辺の秋桜の花は、自然の風に誘われて赤・白・紫と色彩豊かに咲き誇り、そこには赤とんぼも飛び回って生を謳歌しています。

やがて季節は晩秋へと移りゆく中で、秋桜は盛りを終え、枯れてゆきます。その姿に思いを馳せると無常を感じずにはいられませんが、よく観察してみると、花弁の中には次代への種子をしっかり保護していて、自然の進化発展に寄与する力が垣間見えます。

自然に生かされた人間も、子孫繁栄のために健全なる未来づくりが求められていますが、それには知識を蓄えた老人力が、大いに必要となります。

㈥ 日本の「背骨」を考察

今日の国際情勢は、大国が核を後ろ盾に国益を優先しているという恐怖の様相で推移しています。この厳しい生存競争に勝ち残るためには、国家戦力の形成の一環として日本の生命線ともいえる「教育政策」、「エネルギー政策」、「安全保障政策」の克服すべき課題を取り上げてみたいと思います。

現在の教育における課題

☑学校の指導体制を問う

社会の精神的な軸であろう教育現場の実態を世に問いたいと思います。

現職教師の提言を取り上げれば、嘗ての親は我が子が教師に注意されたら子供を叱りつけたものですが、今は逆に教師の方が「あんたの指導力不足」と非難されると聞きます。

これはどう考えても、親のあるべき姿ではありません。教師も問題です。児童に嫌われるのを恐れて、あだ名で呼ばれることを喜ぶ先生が増えているそうです。これは教師としてではなく、友達として接しようとしている傾向です。

学校指導体制についても、問題があると思います。教育現場の実態から言って、教養と気概を教育されていない子供たちの姿が浮かび上がって見えるようです。

☑ 核家族化で甘やかされる子供たち

ノンフィクション作家、柳田邦男氏は日本の教育問題に触れて「戦後、核家族化が進み、育てる子どもの教育が1人とか2人になる。だから大事に育てるけど、その一方で母親も社会に出るし、今まで子育てを助けてくれた祖父母も一緒にすまないこともあって、どうしても大人が日常の中で子供に生活の知恵や自立心や人間としてのモラルを教えるのが疎かになる。核家族化・少子化の時代の子育て方が分からないまま、埋め合わせのために余計に子供を甘やかしてしまう。こうした子育ての問題点が子供の心の病気とか、反社会的な行為として顕在化した時期である」と論じています。

また、詩人の吉本隆明氏は「人間の精神的な抵抗力が弱くなってしまっているのではないか。」と批評しています。柳田氏の言葉は私も心から共感できますが、やはり現代社会において我が子を育てる責任は、当然親にあります。前にも触れましたが、その母親が家族の働き手となって、我が家を留守にして、幼児を他人に委ねる。この現代の社会構造の変化が、子供を追い詰めているような感じがしてならないのです。

☑道徳規範の衰微

今の日本は、新聞などの社会面を見れば「凶悪強盗殺人」が日常的に発生していて、人心の荒廃ぶりが如実に映し出されています。この悪しき社会風潮をもたらしたのは道徳規範ではなく、法律や損得で物事を考える社会になっていることが起因しているように思えてなりません。

これからの我が国の教育改革について、中曽根康弘氏は「社会の悪しき風潮を正すことから始めよ」と提言していますが、この指摘は人間の良心を取り戻すという意味を含めて、国民が真剣に議論すべき改革の方向性に一石を投じたものと受け止めています。

☑日本文化に深く根差した教育の重要性

我が国の教育基本法は、戦後アメリカの占領下でできたもので、内容的には自由と民主に平和が定着しています。他面において欧米流の功利主義が自己中心的な社会風潮となっていて、本来、我が民族が持っている歴史的・伝統的あるいは共同体的秩序などがひ弱なものになっていて、人間の存在や価値に対する観念が変わってきています。

現代の日本人は幼少の頃より常に外部的な利益性は与えられ、そこから満足を得て内的なものに関しては注意を払わず、その結果、道徳意識の崩壊を生み、これが犯罪の激増、汚職の蔓延、功利主義的風潮といったものをもたらしています。このような堕落した精神や風潮からは新しい国家目標の構造はほど遠いものと言わざるを得ません。
この社会的風潮に触れて、中曽根氏は著書で次のように語っています。

現在の教育における国家と宗教の不毛

（『日本人に言っておきたいこと――21世紀を生きる君たちへ』より抜粋）

教育においては宗教論も重要である。現在の教育には道徳性が非常に欠落しているが、これは国家神道を排撃したマッカーサー司令部の目を恐れ、宗教に触れることを避けたために、宗教が道徳の基礎とならなかったからである。

この日本の現実を厳しく受け止めて言えることは、日本は古来の仏教思想を軸としたであろう自然や他者に対する気持ち、思いやり、細やかな心遣い、武士道精神など日本人の普遍的価値や歴史・伝統を今一度思い返し出直さなければ、日本人としての背骨を喪失して、自立国家への道が塞がる悪夢が現実となるに違いありません。
国の存続には、歴史・伝統・文化が日本人としての立派な芯となって過去から現在に継承され、未来への推進力に不可欠です。そう考えますと、私たちには日本人の精神的活力を蘇らせる使命があります。

なぜならば、我が国は万世一系の国柄であり、資源のない我が国の特質は山紫水明の「自然」と民族の集積である英知の「文化」を世界に誇り生きている国だからです。

その観点からいえば、今後、政府はどういう教育環境をつくることが重要なのか、国民に正面から向き合うことが問われていると私は思うのです。そうでなければ、我が国の土台を支える背骨のある日本人は育たないのではないでしょうか。

国家の「エネルギー」政策をどう考えるか

☑世論に注目

平成二十三年三月十一日の福島第一原発の事故により、大半の原発に対する国民の意志がそうであるように、元民主党政権は「原発ゼロ」を政策決定しました。この政策は国民の生命と財産を守る憲法の精神から言って、政府と国民の良識ある判断であったと私は思います。

ところが、自民党政権に移って、原発事故後の国の原子力、エネルギー政策のあり方は福島第一原発事故を受け、原発比率を可能な限り低減すると公表しましたが、どれだけ減らすかの道筋は示されていないまま、民主党が掲げた「原発ゼロ」を転換する方針を決めました。

また、経済界においても日本商工会議所の現会頭、三村明夫氏が「経済の好循環の実現には、原発再稼動による低廉で安定的な電力供給が必要不可欠」と公言していることに代表されるように、「原発依存」での再出発は当然なこととして受け入れました。

結局日本の新たなエネルギーの基本計画は、「原発」を主力電源のひとつとして再出発したわけです。この原発再稼動を進める政府の政策については「脱原発」の具体的な姿を見せないまま、原発回帰の姿勢を鮮明にしたわけであり、政府の政策に対する消費者を始め関係者の批評は原発事故の備えがまだ多くの課題を抱える中で、見捨てられた「原発頼みの政策」であるとの人々の声も強く、国民の生命と財産を守る憲法の精神からも無視できない政策なのです。この「原発」政策の転換を求める声と理解者の声を追ってみたので、紹介したいと思います。

「原発」政策の転換を求める声

■生命より経済が優先なのか

■「なぜ」なし崩しで再稼動するのか

■「原発」の是非は国主導で決めず、もっと国民で議論して答えを見つけるべき
■「原発」の推進や稼動は安全が確保されてからの話、これを国がきちんと実行してほしい

「原発」理解者の声

■現実的な判断
■「原発」の重要性について政府の責任ある方針が示された

☑大衆報道記事の深い意味
「エネルギー計画」これがメッセージか

（『朝日新聞』の社説を引用）


政府が新たなエネルギー基本計画を閣議決定した。

福島第一原発の事故後、初めての改定だ。どこに問題があったのか。原発に対する国民意識の変化を政策にどう結びつけるのか。政治の意志を示す絶好の機会だった。

しかし、計画はメニューこそ豊富だが、とても新しいエネルギー社会へのメッセー

ジとはいえない。

原発停止による化石燃料の輸入増を憂え、将来にわたって原発を維持する意向をにじませる一方、原発依存度の低減をうたいます。高速増殖炉「もんじゅ」の目的をすり替え、核燃料サイクル事業の推進を明記しながら、「中長期的な対応の柔軟性」を強調して、批判をかわします。

露骨に本音を出して国民の余計な反発を買うまい――。

事故から三年が経ちます。もう原発に依存できないことは電力会社も分かっているはずです。政府が脱原発に向けて、メリハリの利いた「実践」の作業を急がずしてどうするのでしょう。

基本計画で原発は「低炭素の準国産エネルギー」で、昼夜継続的に動かす「ベースロード」電源と位置づけられました。原発依存度を減らす以上、その新増設より、同じ機能を持つ地熱や水力、高効率の石炭火力などの開発を優先させるのが筋だと思います。

原発は巨大事故のリスクから免れられない。対策が整わないのに再稼動をいそがせることなど許されません。

たしかに化石燃料の輸入増に伴うコストの上昇は軽視できません。ただ、「国富が毎年三・六兆円流出する」との言いぶりには、計算方法に各方面から疑問の声が上がっています。

既に電力各社には三年の実績値があります。マクロでの推計ではなく、各社から輸入量や金額などの正確な数字を出させ、客観的なデータ検証と要因分析の元に対策を論じることが不可欠です。

原発の再稼動は、電力への新規参入や新電源への投資意欲を削ぐ面もあります。政府が脱原発への中長期の見取り図を早く示さないと、電力市場での活性化も進みません。基本計画は、エネルギー政策の立案から実施に至るプロセスに国民が関与する仕組みの必要性を指摘している。原発政策の閉鎖性がもたらした被害の大きさを、私たちは3・11で痛いほど学んだ、参加の仕組みへ、ここは有言実行を求めます。

☑国の「エネルギー」政策への疑問

エネルギー政策に失敗する国は衰退する。その視点から人類文明の機軸を担うエネルギー問題は、国の存亡に直結する重要なる懸案です。我が国のエネルギー政策といえば、国が経済優先の政策を進める中にあって国の主導で原子力を推進しています。しかし国民は不幸なことに、あの3・11で未曾有の原発事故を体験しました。その結果、人々は「生命より経済優先なのか」と全国に不安の声が広がりました。この実態から見て、我が国の安全、安心な社会づくりに疑問が生じています。原発事故後の政府の対応を考えると、日本のエネルギー政策は、事故を想定しない原発エネルギー依存です。

その反省もあって、多くの国民は生命と財産を守るための「自然エネルギー」への転換を政府に求めていますが、物質文明を謳歌している世のご都合主義者から見れば、甚だ煙たい思いもあろうかと推察されます。福島第一原発の事故は、そもそも日本政府が原発のリスクを想定していなかったことで起こっています。これで国民の生命と財産は守れるのでしょうか。政府の事故を省みない、日本再生へのエネルギー政策には強い不安を抱いています。

国民の「生命」と「財産」を守る政策転換を国に期待する

我が国の原発依存の政策は燃料資源、環境問題など軽視できないことから原発をベースロードと考えたのでしょう。

しかし、この政策は国民の生命と財産を守る視点を著しく欠いています。これでは国民の不安は拭えません。

この不安を裏付ける本当の有り様は、新聞や雑誌などから得た知識ですが、放射性物質に汚染された瓦礫などにどう対応するのか、法的な枠組みがないとされています。廃棄物処理法でも、震災と事故によってできた廃棄物は対象から除かれていると聞きます。また、脱原発を達成するための明確な数字も、約束も示されていません。さらに、使用済みの燃料処分の問題も未解決です。原発問題について政府の対応は、良識ある人々からいえば、あらゆるものが形だけで安全なる本質を欠いたものに思えてなりません。為政者からは、その責任と使命が感じられないのです。

さらにいえば、福島第一原発事故の問題は、我が国が太古より天災に見舞われやすい国であることを省みれば、あまりに人命尊重を軽視した政策であったのではないでしょうか。そして今なお、エネルギー政策がご都合主義者中心であった背景を考えると、人災に等しい災難であったと私には思えてなりません。

何故かといえば、それは日本国憲法の精神に行き着くわけでして、「国民の生命と財産」を守る政策でないと国は成り立たなくなるからです。

そこで日本政府は、3・11を教訓とし、今度こそ国民が望むエネルギーを政策に取り入れるべきです。その重大さを考えますと、人間が文化生活を営む上で、安心、安全なエネルギー資源といえば、自然を活用したエネルギー資源であることは誰も疑う余地はないでしょう。しかも、我が国にはエネルギー資源が風力、地熱、水力、太陽エネルギーと豊富にあるのです。

さらに技術力、財力など我が国の実力からいって実現は充分可能でしょう。ここまでの条件が揃っていながら、なぜ国は自然エネルギー資源の活用を国策に定め、各分野の総力を結集してこなかったのか。その先見性のなさに政府の責任を問いたい思いです。勿論、経済コストや環境問題などはあるにしても、自然エネルギー資源の活用は、人類にとって、その問題を遥かに超越しているからです。

この政策の推進は政治家の英知と決断力、実践力に委ねられています。それができなければ、我が国の安泰は保障できないと思われます。

そして、私が改めて訴えておきたいことは、平安を壊してまで効率を求める必要はないということです。我が国の人々がいつの時代においても安心、安全に暮らせる社会づくりの大切さを思いつつ、純真な気持ちで筆を走らせています。

日本の安全保障政策を考える

我が国の国民の安全と安定を構築する基本フレームは経済・政治・安全保障と全てにまたがる国家管理の健全性に期待せざるを得ませんが、これら社会のあり方を現象化する集合体の中から、我が国の安全と安定に不可欠な安全保障の問題を取り上げたいと思います。

日本の独立と平和を維持するための国防政策を考える上において、安全保障の問題は我が国の敗戦と米国の占領政策の影響を受けた足跡を点検し、検討するという行為は避けて通れない課題でありましょう。

そこで米国の占領政策を省みる手段として、我が国が米国の植民地的立場に置かれた歴史的必然性を強く意識させる、中曽根康弘氏の著書『二十一世紀日本の国家戦略』を紹介します。現在、日本が抱える安全保障上の問題を考察した上で、新しい国家の戦略作りという国民的課題を世に問うべく、「国家戦略」に関する論説を引用します。著者は衆議院議員永続五十年という生涯をかけた政治経験と研究が培った哲学的な自覚から、今日の日本が歴史の分水嶺に立っていると認識していて、執筆にあたり日本の未来を見誤らないようにと訴えています。

（同書「第一章　日本の国家戦略」より抜粋）

日本は伝統的に国家戦略が欠落してきた

現代の日本に独自の国家戦略が不足し、日本の政治家に顔がないと批判される原因の一つに、現在の日本国憲法が、占領米軍によってつくられ、ほとんど日本の発言権のない状態で制定されたことが、日本の自主独立精神や民族的プライドを失わせ、長いものには巻かれろという功利主義的風潮が政治に影響して、政治家に独自の長期的国家戦略を策定し、そのために安定した強固な政治的基盤を造成するという自覚と努力を喪失させたことによると思う。

（同書「第六章　国民憲法制定論」より抜粋）

自主防衛のこと

わが国の防衛を、日米安全保障体制によって補完することである。防衛は国民による国民のためのものでなければならないことはいうまでもない。そこで、まず、日本国民がその英知を集めて、日本本位の防衛及び安全保障体制を樹立しなければならない。

そして、そのたらざるところを友邦である米国と調整し、米軍によって補完される。かような関係が今後の日本の安全にとり必要かつ重要なことであると考える。従来のように米国に対する漠然とした期待や無原則な依存は、この際一掃しなければならない。

第二章

日本の死角をどう考えるべきか

長い歴史と風土の中で形成された近代日本の姿を顧みて、まず反省しておきたいことは、二十世紀の日本は無謀にも大陸に手を出した結果、二度の世界戦争を経験し、破壊と殺戮が行われたことです。

この戦争は日本の良心に立ち返ると、軍部の一部の人たちの部分的合理性としか考えられない、極めて危険で愚かな戦争だったとしか言いようがないというのが、現代に生きる多くの人々の思いでしょう。

無残な敗戦後の戦災復興と、国家の再建を目指した米国との安全保障条約は政治同盟的役割を果たし、その大きな力は日本の外交的予防・政治的安定の再生の基礎を築く国家の重要な機能を果たし、戦後の日本の立て直しに成功しました。

さらに日本の経済発展が進むにつれて、日本の国際的影響力は拡大して現在では世界有数の先進国になりました。

しかしその経済発展の陰では、自己の利害関係を本意とする自己中心主義という人生観に生きている人が多く、人間の理性ある生き方を考えたりする余裕を失いつつあります。

その社会風潮の中で国際情勢を展望しますと、現代の人類世界が科学技術の発達する中で、大国が「核」を中枢とする多次元総合力を戦略思考として自国の国益に存亡をかけて生き残る現実があります。それを考えますと、日本は必然とはいえ、アメリカと安全保障条約を結んでその「核」の傘の下に入り、国防を他国に依存し続ける姿は、私に言わせれば植民地のようで、日本人の精神的空虚としか言いようがありません。やはり、日本人は「自分の国は自分で守る」という正常の考え方に立ち返って、「自立国家」の樹立に向けた改革精神を忘れてはならないのです。

それには、日本という国がこのままではどうなるのかを真剣に考え、国民としてこの国の課題を自覚と責任を持って克服しなければ、民族が亡びるという現象が起きても不思議ではないのです。

以上のことを踏まえた上で、次に国家的課題について考察してみたいと思います。

(一) 日本の国家的課題

人間的権威の回復

戦後の日本は、既に触れましたように国家意識を希薄にした占領政策や米国の物質主義が日本に過剰に入り込んで、多くの国民は私利私欲、享楽主義になって、これまで日本を支えてきた人間というものの価値・尊厳・道徳が失われているように感じます。そのことが独立自尊精神の欠落を現代社会にもたらしているのでしょう。

このように日本人の誇りを失った精神や風潮と決別するためには、精神的活力を回復しなければなりません。この克服が、自立国家を樹立する原動力となる要素だと私は考えています。

北東アジア諸国との信頼回復

言うまでもないことですが、北東アジア諸国は近隣の国です。この現実を念頭に置き、日本の安全基軸である外交と国防政策を展開する必要があります。

北東アジア諸国の現状といえば、まず、北朝鮮政策では拉致問題や戦争処理の問題、そして核戦略拡大への世界的懸念があります。また、韓国政策では元徴用工問題の深い溝、竹島の領土問題など急速に悪化しています。そしてまた、中国政策では東シナ海問題や軍事的脅威などで日本周辺の安全保障環境は寒々しい日々が続いています。

このように厳しさを増す北東アジア情勢を鑑みて、日本が安定した外交政策を展開するには、日本は近隣国に対し、嘗て戦争や争乱によって罪深い時代をもたらした事実を受け止め、包容力と賢明なる配慮を持って政策を展開し、国際的相互依存関係を深めて信頼性を回復することが重要です。

日本の安全基軸を担う「外交」

日本は極東の海に浮かぶ孤島で、古来北東アジア大陸の人々と交易を進め発展してきました。しかし、その隣国である中国・ロシア・北朝鮮などは現在、イデオロギーでつくられた国家体制であり、共産主義に対して政策の透明性、自由性、開放性が求められています。

さらに日本が心すべきことは、過去の戦争で悪いイメージを持つ北東アジア諸国の政治に対し、慎重な対応を重ねることです。良好な環境回復ができるかどうかが外交上の死角だと私は考えています。

日本の外交の国是としてあるべき姿は、国家百年の計に耐える精神的な「芯」があることでして、それは日本の風土と歴史の中に形成された「和の精神」を尊ぶ民であることを世界の人々に発信することが重要でありましょう。

人間社会で信頼を深める基本である「和の精神」は、平等心を尊び相互依存を自覚して生きる民族の姿であって、国家観においては、世界人類の平和と民主主義の理念を守り、人類文化の発展向上に貢献して、そこに国力を注ぐ国の姿なのです。

このように、日本の歴史と伝統文化に育まれた「和の精神」を拠り所とした心豊かで品格ある国民の生きる姿は、世界の人々への良心に映えて国際社会から共感を呼び、必ず日本の地位を回復するものと私は信じています。

日本の防衛政策

核の脅威に晒される国際社会の中で日本が生き残るためには、日本の防衛戦略を再考する必要があるのは、言うまでもありません。

何故ならば、世界の大国が現代文明の科学技術を転用し、「核」に依存する防衛戦略で国益を追求する中で、日本の様相は、敗戦によって米国との安全保障条約で国家主義が平和の下で否定され、平和の理念を追い求め、非核政策のギプスをはめたまま推移している状況だからです。

「日本は一体どうなるのか」と国を憂う国民の一人として積極的に政治について発言し、国の安全が守れるよう現行の国防戦略についての思いを述べたいと思います。

今の時代は化学兵器の近代戦とはいえ、国防戦略の基本は昔ながら盾（守り）と矛（攻め）の両刀遣いであって、この戦法は国際社会での諸々の矛盾の調和をとり、道理的に解決する上で理に適っていると私は理解しています。

この戦法を「複眼的戦略」と定義付けて説明すると、国家防衛は、国の民主主義を基調とする平和と独立と国益を守ることにあります。その目的を達成するためには、国策上は「外交」と「防衛」の一体化をはかることが調和を保つ上でも重要です。その考えを元にまとめ上げたのが、次のような「矛」と「盾」の関係を織り成す「複眼的戦略」なのです。

一、矛（攻め）の戦略は「外交」にあり

国民生活の安定と国の安全を守るための策として、日本の風土と伝統文化に培われた「和の精神」は、外交の基本方針とする考え方です。

二、盾（守り）の戦略は「抑止力」にあり

日本の防衛は、言うまでもなく「国民による国民のため」のものでなければなりません。そのためには「日本本位の防衛体制」を確立する必要があります。

今日の日本の防衛体制には、危惧を抱いています。その理由は、現在の日本国憲法が占領軍によって作られ、その防衛分野は日米安全保障条約に基づいているからです。

しかし現在、世界の一大国が国家防衛を他国に依存し続けるような国際関係が、長く続くとは考えにくくなってきています。健全な国家体制を確保するためには、やはり早期に日本独自の防衛体制を確立し、足りないところは友邦である米国と調整し補完されるよう現行憲法のあり方を正すことが、日本の「自主独立国家」を目指す上において欠くことのできない国家政策だと私は考えています。

国の外交は防衛を後ろ盾とした戦略を必要とすることから、世界の大国の防衛戦略といえば、近代科学技術の転用を活かした「核」を軍事戦略としているのが現状です。日本の国益を守るためには、自我的行為に対しては力で制して国の存続を確保することが現実世界における強者としての生き方であって、日本も軍事戦略上、抑止力として理性的に核を運用して日本の最後の一線を確保する戦略体制が、資源がなく交易に生きる日本にとって避けて通れない国防戦略のあり方ではないかと受け止めています。

日本の危機管理の改革

地球の温暖化などで自然災害が増大して、国の危機管理上の対応が問われています。この問題意識を次に述べてみたいと思います。

自然現象として地球の温暖化が顕著になっていて、日本では大型台風による被害が常態化しています。さらに、大地震・津波・火山噴火などの自然災害に加え、コロナウイルスによる危機的被害が繰り返し国民を追い込んでいることから、対策の一環として総合的危機管理体制の早期実現が望まれます。

(二) 日本のすべきことは何か

人生は、日々の生活が豊かで安心・安全な社会で営まれるべきであると皆さんは思っているに違いありません。そうであるためには、国民は自らが豊かな生活が送れるよう政治に関心を持って参加すべきです。

そこで、我々自身が人間としての役割を自覚し、使命感を体得する上からも「人間の正体について」の本質的事柄について掘り下げてみたいと思います。

人間の正体について

人間が自然界で万物の霊長と呼ばれる所以は、自然（神）が人間に理性という才能を賦与し、万物の長となるべく使命を授けて、運命共同体である自然界で相互依存し合いながら進化発展を遂げることを期待してのことかもしれません。しかし歴史を辿れば、人類はいつの時代においても理性より自我を優先させて争い、勝者が新たな時代を切り開いているようです。この様相は動物たちが生存競争の中で「本能」のまま争い合う「弱肉強食」の世界を見ている思いです。

それにしても、なぜ人類は神から授かった「理性」を優先させて生きられないのでしょうか。

それについては、書物で得た知識ですが、人間には「神性」と「獣性」の二面があって、「神性」を優先した生き方は、個人の義務意識や理想が知恵となって「神性」に導かれるのでしょう。そして「獣性」を優先した生き方は、人間は社会的人間でして、集団的立場に置かれた場合、生存生活を基調とする人間の実践的生き方として「獣性」に導かれるのでしょう。

以上の考えを踏まえて社会的人間の置かれた境遇を透視すれば、生存のためには「神性」が不都合なこともあるのです。

野生の動物たちが「獣性」のまま子孫を繁栄しているように、強者のみが生き残る自然の理に適った生き方なのかもしれません。

しかしながら、自然（神）が天地創造、進化発展のため人類を万物の霊長として理性を賦与しているからには、たとえ世界の国々が国益を争う状況下であっても、戦わずして勝つ生き方が人間本来の理性を活かした最善策であり、抑止力を備えておくことが強者としての自然な生き方といえるでしょう。

そこで、現代世界の様相はどうなのかといえば、世界の中で最強の国であるアメリカの戦略構想は「核」の脅威は相手に対しての抑止力であり、そして、極限状況での「核」の使用は、自国民の存亡を懸けての国防戦略の姿といえましょう。このアメリカの戦略構想は、私に言わせればアフリカの原野で百獣の王が「力」を抑止力として生きる姿に似ています。それは獣性的な思考力を優先するアメリカが、「核」保有という絶対的な破壊力と殺傷力を備えた上で、その「核」戦略の傘の下でアメリカ合衆国の国民が民主的で自由に満ちた繁栄を謳歌している現実なのです。

そして、現代という時代において「核」を保有する強国は、アメリカ以外にもロシア、イギリス、フランス、中国の集団社会が形成されていて、その生き方は国を守る正義も道理もない、人間本来の生き方としての理性も通用せず、「核」なき世界は理想に過ぎない時代に入っているのです。

このように世界の大国が軍事力を行使し、自らの圧倒的優位を求め続ける国際社会は、人間本来の理性を失えば「核」の脅威によって人類の生存にとって危機的状況を生み出す恐るべき現代社会なのです。

以上、現実社会は人間が集団的立場に置かれた場合、人間の実践的生き方として「獣性」に導かれる社会的本能の自制が必要な時代に入っているといえます。

これを踏まえて日本の進路を考える上で大事なことは、世界の現実を適確に見定めて日本の国家戦略を策定し、国家の安定を確保することです。その必要な手段として次に掲げる国家的課題を国民参加の元に克服すべき必要を訴えたいと思います。

日本の未来を開くための現行憲法の改正

戦後、日米安全保障条約を締結しアメリカの国防戦略の「核」の傘の下で現在まで安全が保障されている現実は、疑う余地がありません。しかもアメリカとの同盟関係もあって、我が国は必然的に過剰な対米依存が続いています。その陰で日本人の国家意識は、独立精神や民族的プライドが見えづらくなっていて、私自身いかなる国家像を描くべきか世の識者諸氏の文献などを思考する中で、深く共感を覚えた文献は国家体制としての組織機構の改革を訴えている中曽根康弘氏の著書『二十一世紀日本の国家戦略』です。

そして、著書は日本の現実を正視し自らの政治経験と日米安全保障条約上の国益の視点を重視し、日本の立て直しの必要性を強く訴えていて、見逃せない言葉に出合いました。

その訴えは、国家の組織作用の大原則を定めた国家最高の法規である日本国憲法の欠陥を次のように指摘しています。

現行憲法について今日、憲法九条というものを国民的理解の上に乗せて解釈を確定させるべき時に来ていると思っています。

憲法九条の解釈の一番の核心はどこにあるのか。それは「日本の自衛権はある。しかし、その防衛の範囲というものは必要最小限にとどまる」という部分です。それが法制局の解釈であったわけです。

そして、「必要最小限とはどの程度かというような客観的な基準はない」と指摘しています。つまり、「必要最小限」の解釈は情勢の推移によって移動するわけで、どこまで移動するのか、何が基準でそうなるのかは明記されていません。「必要最小限の戦力」という目盛りが政府によって自由に移動されるとしたら、こんな曖昧なことはありません。だからこそ、憲法上、境界線を明らかにして文章解釈を正確にする必要があるのです。以上のような日本が積み残してきた現行憲法の問題解決を中曽根氏は訴えています。

このように現行憲法の問題については、日本国家の組織作用の大原則を定めた憲法解釈の曖昧さを具体的に指摘し、それは日本の防衛上の核心をなす部分であり、また、戦後の過剰な対米依存によって失われた日本の独立自尊精神や民族的プライドを自覚する上においての国家的課題でもあります。

この考えを踏まえて憲法改正への道を開くためには、国民参加の上に主権在民の憲法にしなければなりません。

そこで、国民参加を手助けする一つの手段として国民を説得し理解を求める上で欠くことのできない条件を挙げますと、

- どういう目的があって憲法を改正するのか
- どういうビジョンがあるのか
- この国をどうしたいのか

以上、三つの検討課題について国民に明らかにする必要があります。

そして、今日の日本の国家戦略の現状を顧みて敢えて触れておきたいことは、憲法を改正することによって、国民は自分の国は自分で守る責任と、国は自立国家としての防衛に徹することが、明確になるということではないでしょうか。

新たな国家戦略の早期策定

今の時代、世界をリードする大国の国家戦略の様相は、国を守るために科学技術を転用して大量の核弾頭を配備し、多次元総合防衛の近代化を進めています。

書で出合った知識によれば、「核」は世界に一万五千発あるといわれています。そして、この「核」を保有している国は、米・露・英・仏・中国の五カ国で、これ以外の国は核不拡散条約（ＮＰＴ）により核兵器は持たせないことが基本とされています。

このように世界の大国は「核」依存で抑止力を保持し、その圧力によって国益を争い生き残りをかけているだけに、もはや、核兵器を撲滅させることは難しい時代に入っていると言わざるを得ません。

このように、世界の大国が「核」武装政策で張り合う国際情勢の中で、日本の国家戦略といえば、戦後、米国と安全保障条約を結んで「核」の傘に入り、日本の安全を他国に依存している状況です。大国が国益を守るために防衛力を後ろ盾とした国際競争の中で、核の圧力に対抗できる日本本位の独自の国家戦力を確保できなければ、島国で資源の乏しい我が国は過剰に米国の植民地化に追従するあまり、国益上の発言権が封じられ、衰退の道を辿る未来が予想されます。

勿論、戦後の米国との協調政策は合理的で妥当なものであったし、現在もその状況は続いています。しかし、現実世界における脅威である世界大国の国家戦略を直視し日本の置かれている現状を見返せば、米国と調整を行い、日本の独立性を考えるべきであって、自分の国は自分で守るという生存・独立・安全の治安に基づく国家戦略の早期策定の時期に入っていると思うのです。

「自立国家」の早期実現が日本の未来の扉を開く

自然界を観察すれば、植物の世界は「種の保存」で学ぶように強い種が生き残って次の時代を切り開いています。

そして動物の世界では、弱肉強食の掟が存在しています。

また人間世界では、我欲を優先して人間同士が生き残りをかけて勝者が新しい時代を構築しています。

この強者の生き残る現実世界が自然の摂理に従った生き方なのだとすれば、自然が進化発展の目的を遂げる企みとして強者たちをその時代の申し子として、委ねているのでしょうか。

以上の法則を現代の人間世界において観察すれば、人類が誕生して未来へと進化発展を続ける過程で人類が科学技術の時代を構築し、世界の大国が最強の破壊力を持つ「核」を保有し戦略上の抑止力に役立て、また、国家の存続の手段として相手を破壊する行為は、人間世界でも強者たちが生き残りをかける現実の姿であります。

人間世界における「核」保有については、自然の進化発展の過程の中での科学技術の転用であって、この危険物の扱いについては、人間構成要素である自我が理性を超えない目的で抑止力として運用することは、人間にとって強者を目指した自然の摂理に従った現実的な生き方といえます。

しかし、人間が本来の理性を失って「核」を使用すれば、地球上の生命の基盤を消失させることになり、それは人間と自然の相互依存の原則を無視する行為です。その狂気の沙汰は、自然（神）が人間のみに授けた理性という物事を正しく判断する能力を人間自らが喪失させているともいえます。そこには、もはや人間が万物の霊長として自然界に君臨する資格はなく、それは自然の報いとして自然界から人間が淘汰されることを意味します。このように人間は、今日まで科学技術を発展させている反面、それを転用して防衛戦略として「核」の時代を創造しているのです。

この矛盾した生き方は、人間の理性と我欲の調和を自覚した生き方を強く意識することなしには、安全も生存も達成し得ない世界に生きるということです。万物が自然の法則に従い強者が次の時代を背負うがごとく、人間世界においても国家の存亡をかけて最強の脅威能力を有する「核」に依存することは、科学技術の発達した現代文明社会において避けて通れない人間の欲望行為であり、課題なのです。

このように、自然（神）は脅威である「核」をつくる能力を人間に授けていますが、その安全弁は自然（神）が人間のみに理性を授けて人間の英知に委ねていると私は受け止めています。この視点は人間の存亡を考える上で欠くことのできない絶対的条件だと思っています。

そこから日本が学ぶことは、軍事上脅威である「核」を日本の国益を守る外交の後ろ盾として理性を生かし、運用すれば防衛力となります。それは国力であって相手にとっても脅威に違いなく、自分の国は自分で守ることのできる「自立国家としての自衛の道」が開かれるのではないかと期待しています。

さらに言えば、人類世界はＡＩ（人工知能）やロボットなどを用いた兵器開発を進め、より破壊的な技術革新の時代を迎えようとしています。

このように人の生命を奪う判断を機械に委ねることを認めるか否か、国際ルールづくりがこれから正念場を迎えています。ロボット兵器の行為にも国際人道法を適用することや、その使用には人間が責任を持つことなどが、当然の結論といえましょう。

人間性も存在しない戦争とは何か。人間の存在や倫理に深くかかわる問題であります。人類の英知が試されている新しい時代を迎えている私たちは、「この国の進路」を考える上で真摯に対峙する必要があります。

第三章　人間力を磨いて日本の未来を開く

(一) 充実した人生を生きるために

自然の奥深い「真理」に目覚めて生きる

私は日々の生活の中で、先祖供養や家内安全・家運長久の祈念や、お世話になった故人に感謝の念を進上するために仏前勤行を励行しています。いつもですが、お経の中で人生で縁あった家族・学友・恩師・職場の友などが水鏡の如く心に映し出され、その縁の糸の不思議さを実感しています。故人への感謝の念は、私が誰かに導かれたわけでなく、自分の生命確保の根本を成す感謝に振り返って考える精神的態度から生じているのでありましょう。

この思いに触れて、人間の本質的要素である徳性という、平たく言えば「感謝」について探求してみるのも意義あることかもしれません。「感謝」の意味を辞書で引けば「有難く感じて礼を言うこと。」と書いてあります。人間の生活が善の行動から外れていれば、感謝の心もありえないことで、そこにはいささかも人生の幸福というものを招き入れることはないものと思います。

さらにいえば人間は社会的動物ですから、助け合いの精神が重要でして、その心得としては人間の徳性、つまり「人に尽くす」、「人に報いる」、また、受ける立場の「ありがとう」という感謝の気持ちは、社会を明るく住みよく、健全なる心を生み出す宇宙の真理を貫く行為だと私は考えています。

この「真理」とは何か。「真理」の意味は「①まことの道理、②不変の法則、③万人の正しいと認める知識」と辞書にあります。その意味の大切さは、その時々の生活の都合や国情によって変化する倫理とは違い、絶対的不変であると私は理解しています。

また、「真理」の意味は物事に広く深く働いています。私の日常の生活の中を覗いてみても、それはよく分かります。

たとえば私の信念として、人間は生産性ある生き方をしないと駄目になるとの人生哲学があり、私は四季の野菜を作っています。トマトやナス、ピーマンなどは春に植えれば、やがて旬を迎えて夏や秋に収穫できます。楽しみにしている海での釣りも、潮時を知らないと良い漁獲は得られません。また、暇を見つけて囲碁に勤しんでいますが、囲碁も定石を覚えないと技術が向上しないのです。

以上、私の生活体験から知り得たことは、物事は自然から基本的な法則を学び素直に従えば、有難いものなのです。ただ大切なことは、理屈を知っているだけでは現実に対応できないことで、自然は何事もその体験・実践を通して成果をその人に与えているようです。人間は不幸を取り除くためには、まず「自然の筋道」を照らして、その実態や原因を突き止め、素直に反省し、正しい人間道に立ち返ることが大事なのです。

以上のことから、人間は自然の奥深く宿る「真理」を素直に受け止め、物事を成すことこそ哲学だと、私は人生経験を通して考えています。哲人である中村天風氏は「人間心は真理に合致すれば『悩』みという人生を暗くする心理現象は発生しない。それほど価値の高いものである。明るく朗らかな人生を生きるには真理は極めて重要な人生の要諦である。」と説いています。天風氏の言葉を参酌すれば、私たちの人生の要諦である「真理」は目に見えないものであるだけに、人間は心の目を開いて自然の基本的な法則を知ることが、充実した人生を生きる知恵であり、それが人間と自然の相互依存の原則ではないかと私は考えています。

☑人間本来の価値は「理性」に目覚めて生きること

「この宇宙はひとつの偉大なる生命体であって、その大きな意志は『自然の理法』として万物に作用しているという。」

以前書物でそんな言葉を得ました。

そして、「人間が生きるということは、何か宇宙に存在する大きな生命の摂理によって、この世に送り出された。」ともありました。私たちは、自然界の中で生かされていても、その自然の理法を目にすることはできません。しかしそれでも移りゆく日本の四季を観察していると、私たちは自然の生々流転の中で、縁あって遺伝子を受け継ぎ生かされていることに気づきます。そうであるからには、人間は素直に自然の摂理に従って人生を辿らなければならない、天命の下に生かされた動物であることを自覚します。

ところで、右で触れました人間にとって大きな生命の摂理とはいかなるものでありましょうか。それは大自然の恵みを授かって素直に生きる姿であり、人間はその恩恵に対してどのように自然に報いて生きるのかという問いの答えだと私は考えています。そしてそれは大自然から授かった人間本来の理性に目覚めて生きてこそ、神の意志に従った生き方といえるでしょう。また、その生き方の実践が本来の価値ある生き方だと思います。

だからと言って、人間誰もが理性に従うように作られているわけではありません。何故ならば、我欲が理性を超える場合があるからです。「人間は日常の中で、快適に生きたいということが、基底になっていて、時には殺人や窃盗、女を欺き、金儲けなど欲望から離れ去るわけにはいかない。」と、誰かの言葉にもあります。私たちが住む時世は利によって動いており、人間は立場で生きています。そして、人々は社会の歯車として働き、その共同組織の中で生きていれば、現実問題として時には清濁を併せ呑むということができない人は、自分の生きる世界を極めて狭いものにしてしまいます。それは倫理のみで働くものでなく、利害で動くことは大いにあることなのです。その場合、人間の心は理性と感情（我欲）が同居しているので、心のバランスを欠き、感情（我欲）が理性を超える部分は遥かに大きいと言えるかもしれません。

しかし、そこで大切なことは、目的と手段を取り違えたり、社会の道理を離れて間違った方向に感情を暴走させないことです。それが分かっていても、とかく悪く走りがちなのが人間というものです。

だから、私たちは平素より「邪義の本質」を自覚して、人間本来の理性に目覚めて社会を前進させなければならないのです。

☑万物を善に導く自然の力

自然界は「弱肉強食」の世界であり、生物たちは、いずれも厳しい環境条件を克服して進化しているようです。

私は幼少の頃、「弱肉強食」とは強者が弱者を虐げる行為だと認識していて、その実態はたとえ不条理であっても、自然界に生かされた万物にとっては仕方がないことなのだと得心していました。

ところが、私が広島市の地方公務員としていろいろな職場に従事した中で、私自身が人間として大きく成長できた時期がありました。それは安佐動物公園に勤務した二年間、動物たちの生態を観察できたことで「弱肉強食」の奥深い真諦を知り得たことです。

万物の生成化育の真理と現象は「種の保存」に宿ると古書に書いてありますが、その体験談を話してみたいと思います。


広島市安佐動物公園の正面玄関の前面には「ドグエラヒヒ（アヌビスヒヒ）」の飼育場が設けてあります。その中に岩山が築造されていて、そこがドグエラヒヒの住処となっています。

飼育担当者の話を聞けば、この岩場では少ない年で四十匹程度、多い年で七十匹程度の赤ちゃんが生まれていると言います。餌は朝一回で充分に与えているそうです。

ドグエラヒヒの赤ちゃんは毎年数多く生まれますが、決して溢れることはありません。これは動物園の飼育員の手で頭数の調整をされているのかと思いきや、そうではありませんでした。

実態はというと、ドグエラヒヒの赤ちゃんの殆どは厳冬に自然に淘汰されているのだというのです。ドグエラヒヒは、夜は岩山の洞穴に入って寝ていますが、冬季の洞穴では強いドグエラヒヒが暖かい穴の奥に入り、弱いドグエラヒヒが風・雪・雨水にさらされる外側近くに寝るそうです。その生態は、強いドグエラヒヒが弱いドグエラヒヒを威圧して虐げている姿ではないかと私は思い込んでいました。しかし逆に弱いドグエラヒヒが、強いドグエラヒヒを後世に生き永らえさせるべく自ら冷気極まる外に身を置いている行為だと聞かされました。そして、外側近くに身をさらす弱いドグエラヒヒたちは、凍傷などで死に絶えるそうなのです。そのような生態の中で、赤ちゃんはほんの二、三匹程度しか生存しないといいます。このドグエラヒヒが厳しい自然界の中で種を保存する生態を知って、私は自身の思い込みと無知さに唖然としました。

この厳しいドグエラヒヒの岩山の生態は、私たちの目では見えない自然の摂理のなせる業なのかもしれません。

☑先哲に学び心の開眼を得る

現代社会に生きる多くの人々が、日常の忙しさに追われて自己を見つめる余裕もなく、ただ生きるために生きる社会的人間になっています。そこには自然を敬う心は薄く、人間というものの本質や使命を考える精神的活力も失っていて、私たちの生活習慣は無知や怠惰、不誠実や心の荒廃を導く生き方となっているように私は感じます。

以上のことを省みて、私たちはこれからの人生をどう生きようとしているのか、また、生活をどう律すべきかなど「人生のあり方」を正す上において、問題意識を持って先賢たちに学ぶことも意義あることだと考えました。最初に紹介したい人物は、花園大教授、秋月龍珉氏です。秋月氏の論述は『般若心経のこころ』（プレジデント社）に掲載された山田無文老師の〈天地生命〉の体験談です。

秋月教授の談話

老師は、青年時代に結核になって、医者に見放されて自宅で静養していた。ある朝、縁側で涼しい風に吹かれた。その時、「風とは何だのかなあー」と考えた。「そうだ、風は空気だ」と思った。その時、自分は十何年かずっと忘れていたけれども、空気というものがあって、私を生かしてくれていた、ということに気がついた。自分はこれまで自分で生きてきたと思っていたけれども、私は「生かされて、生きて」いたのだということに気がついた。「生きよ、生きよ」と私を生かしてくれている「天地の生命」があった。（中略）天地と一体、万物同根の「本来の自己」の自覚であると言うことができよう。と語っている。

私自身、山田無文老師の心境を知りえたことで、夏の訪れとともに庭先で風鈴の音を聞く心の余裕を得まして、心眼が開かれたのか小さな自分から大きな世界を意識できるようになりました。そして、この体験を得て自然との対話は、先に触れた現代文明の殺伐たる生活に疲れた人々の体と心を癒やし、生気と理性を回復させてくれるという確かな実感を得ました。

私たちは、人生の価値観が物質的利害関係を優先する功利主義の社会に生きていて、その結果、贅沢ばかり考える社会となっていて、さらに生活も複雑になっていますが、今日、いったいどのくらいの人が我が国の精神文化に対する危機意識を感じているのでしょうか。

このような現代病ともいえる社会問題は、私たちの精神を健全に維持することは、医学では回復できないだけに、日々の生活の中で意識的に心の面からの改革を企てなければなりません。そのきっかけとして、先賢たちの言葉には深い研究に培ったところの観察力・洞察力が宿っていて、その警世の声を聞き学ぶことで、その示唆に富んだ社会を正す英知が、読む者の知恵となって「心の置き方」を変える動機作りに役立つものと私は考えています。

さらに、右でいう知恵とは単なる知恵ではなく、人間や自己、社会や神といった目に見えないものを心で悟る、そういうものに通ずる知恵であって、心を開眼させてくれると私は主張します。

(二) 人生を豊かに生きるために

自然の大いなる姿に心を開く

☑自然の摂理のなせる業

自然の摂理である「不変の法則」は、私たちの目から隠されていても、人間が神の意志に従って真摯に生きる、我欲を超えて理性に目覚めた姿であり、自然が人間に期待する価値ある生き方に違いありません。

自然の理法に従う順応者はその恩恵を授かり自ら栄え、自然の理法に反するものは自ら亡ぶ。それこそが、自然の摂理のなせる業なのです。

☑万物の創造主、太陽に導かれて

自然界において、先人たちは遥か昔より太陽を完全無欠、不変の力と見なし、その恩恵に感謝し、崇拝して生きてきました。

そうであるからには、人類は古代より太陽の不変の力を観察し、人間が生きるために、基本的な四つの「生活の知恵」を活かし、今日まで人類文明を開化させたのだと私は推察しています。

ここでいう四つの「生活の知恵」とは、次のようなものです。

■その一

太陽は万物に光を当て、全てを見通す。同様に人間が目に見えない自然の摂理を見透かし健全な生活を確保するためには、人生で生ずる物事の「原因と結果」を明らかにする「心」を態度と知恵を用い、常に磨くことが必要。

■その二

太陽が万物に平等に恩恵を与えているように、相互に依存し合うことでしか生きられない人間は「平等心」を持って生きる知恵が必要。

■その三

人間が生きる上において、「生」、「老」、「病」、「死」は必然を覚悟しなければならないが、それでも悩み、悲しむのは、無知に原因があると考えて、その苦しみを乗り越えるには、自然の奥に宿る「悟り」の知恵が必要。

■その四

太陽が働き続け万物に恵みを与えるが如く、人々も「考え」「思う」だけでなく、常に「実践力」が必要。

先人たちは日々の生活の中で、太陽の本質的な力を感じ取ることで哲学観を養い、それを知恵として生活に活かすことで人類の文明を発達させてきたと私は考えています。

☑自然に親しみ人生を楽しむ

✧輝く太陽

宇宙のかなたの「太陽」が、全世界を明るく照らしながら、小さな地球を見廻るように海を渡り、山野を越える。その姿は実に頼もしいものです。万物は、太陽の光を等しく受け、その恩恵で育まれ生かされていることに明日への希望と喜びを覚えます。

✧光る海

私は暇を見つけては、命の洗濯にと山口県周防灘の大島沖で船頭と共に釣りを楽しんでいます。船頭との会話の中で知り得たことですが、この海域は戦後の流行歌、岡晴夫の歌にある「ハワイ航路」なのだそうです。そして、この海域を中心にトライアングルに結べば、東方向は愛媛県松山市、私の先祖の地です。西方向は山口県光市、私の出生地です。偶然にも私はその中心の海域で人生の時計を頭で巻き戻しながら、釣り糸を垂らし、有意義な時間を過ごしているのです。

そういえば、あの有名な作家、司馬遼太郎は「伊予の開かれた明るさと優しさ、たおやかな情緒をこよなく愛した。」と著書に記述されていますが、私は勝手ながら人生の応援歌だと受け止めています。

本論に戻ると、早春の周防の瀬戸へ船頭と共に朝早く潮の香りを嗅ぎ、体にマイナスイオンを浴びながらメバルの漁場に向かいます。海の表情は風の影響で変幻自在です。その姿は波立ち厳しくとも、いつも自然の意志に従っていて私と船頭は笹舟童心です。

季節はめぐり、舟場の夏の瀬戸は穏やかでありますが、鯛やアジ、サバの旬を迎えると船縁の海面がとつぜん盛り上がります。イワシが群れているからです。何処からともなく数羽のカモメが、波の花咲く海中へと狙いを定めてイワシの群れに刺し入ります。そこには生物たちの生きゆく必死さと母なる海の表情が豊かです。

さらに船上の冬の瀬戸は大気が冷えて、逆に海水温が高いので、海面は朝靄にけぶり、幽玄な世界をつくり出します。やがて太陽が天空へと昇り、周防灘の空と海をオレンジ色に染めるころ、靄は晴れ渡ります。そして、私はキラキラと光る波間に揺りかごの如く浮かんで釣り糸を導いていますが、景観の美しさに見入り、手を合わさずにはいられなくなります。これは、偉大なる自然への純粋な畏敬の念がそうさせた、無意識の行為なのです。

✧美しき山の表情

私が楽しみにしている一日の行事は、近所の里山周辺に愛犬（柴太郎）を連れ立って散歩に出かけるひと時です。これは私と柴太郎との「健康づくり」でもあります。

そして、私が散歩の途中で休息を取る場所は、広島市内が見渡せる武田山山麓（戦国武将、毛利の古戦城跡）の高台にあって東南方面を展望すると、何と瀬戸内海を包む山々がパノラマ状に広がっています。西北方面を見渡せば、中国山地の山々が連なっていて、遠大遥かです。散歩の途中、私はその高台で景観を楽しみながら、ストレッチ体操を励行してすでに三十数年を経ています。

ついでながら、ストレッチ体操の準備段階で、必ず東・西・南・北の方向に合掌することが習慣となっています。東に向かっては自然の恩恵に感謝。南には「平等世界」を祈ります。西には先祖や縁ある人に感謝の念を捧げ、北には日々生産性ある生き方を誓います。これは誰かに教わったわけではなく、長年、この高台に通う日々の中で私の哲学観が行動となっているのです。おかげで私なりに平穏無事な生活が続いています。

そして相棒の柴太郎は水を飲み、一息ついていますが、散歩の途中、まだ待たされるのかとの顔が窺えて仕方がない風采に見て取れます。すでに、柴太郎との縁も十三年余りを超えました。誰だったか、犬は神からその人への贈り物だと聞いていましたが、私にとっては人生の友です。

そしてストレッチ体操を終えて歩を進めた先、里山の高台の一角に、私の憩いの場を設けています。そこには私の好きなコスモスと水仙の花を植えていて、年々季節の花たちとの出会いが楽しめています。そして所を同じくして、鳥たちも木々の小枝に止まり、下界を見下ろしている様子が観察できます。さらに、ここは鶯の声が時のまにまに聞こえる特別な場所なのです。

また、天空に目をやれば、雲の流れが行き交い、手の届く思いです。その姿はいつも活動的で若々しく、私自身も快活な気分になれます。

私は悠々たる自然との対話を通して、小さな自分の世界に入ることがあります。移りゆく季節の中で、野辺の花が今を盛りに精一杯咲いている姿に見入ると、そこには生々流転を続けて、人と花とのめぐり合わせがあって、未来へと流れゆく自然の時を刻む音を聞くことができるのです。この充実した時間は、自然の恩恵への感謝によってのみ見出すことができる喜びに思えます。この姿は自然に生かされている小さな人の表情なのです。

(三) 理性の判断を本位とする精神態度が人生の道を開く

有難い書物との出合い

四季の移り変わりは、諸行無常です。人間がこの自然に生かされて進化と向上を目指して物事を成してゆく時、自然（神）が人間に期待することは、自然が万物の霊長として人間のみに与えた理性を自覚して知性を発動して人間としての使命を全うする生き方ではないかと私は考えています。

この使命を背負った人間の一生は成長する過程において、精神面の若さゆえに無知だったり、人間関係に煩わされたり、目先の欲に溺れたり、また、多様な価値観や我欲に惑わされて、ともすれば物事の枝葉部分に囚われて、大切な幹を見失ってしまう未熟な生き方を経験します。それでも自らの人生と真摯に向き合い、自己を省みて成長に役立てながら人生の成就を目指してこそ、世に自分の存在を確かなものとすることができるのではないでしょうか。私自身も例外なく未熟者ですので、成長する過程においては、人生をどう生きるべきかなど精神的葛藤を繰り返してきました。そんな折、著名な陽明学者、安岡正篤氏の著書『人間学のすすめ』との出合いがありました。その書物の見出しで「達人の生き方――心の根を培養する。」この文中の言葉を紹介させていただきます。

人間というものは栄えようと思うならば、何よりも根に返らなければならない。草木でも、本当に健やかに反映させようと思うならば、いたずらに枝葉を伸ばしても駄目でありまして、幹を逞しくし、根を深く養わなければなりません。根に返ることが大事であります。それが「終りを慎み遠きを追えば民の徳厚きに帰す」ということであります。

この言葉の背景にあるものは、人生の根の部分、いわゆる人生は「縁」に感謝して生きることが重要だと私は理解し、この書物との良き縁で人生の深義を学んで視界が開けたような気がします。

いろいろな「縁」に感謝して生きる

私が幼少の頃、弟が小学校に入学して十日目に赤痢を患い死亡しました。その翌月には、後を追うように祖父が死亡しました。

その葬儀の席で祖母が、まだ幼少の私に「お経はお釈迦様の言葉ですよ」と言い聞かせてきました。その時の言葉が「縁」となって、お経は今も私の人生の道標となっています。

今日までいろいろなご縁を経て人間のあるべき姿を学びましたが、現代の環境の慌しい中で指針としたい言葉は、お釈迦様の言葉ではないでしょうか。

お釈迦様の教えは永遠の真理としての価値を持っていますので、仏教の教えを理解し、人生心得として人間的修養に役立てれば、一つの光明としての手掛かりになり、人生はさらに価値あるものになると私は思っています。勿論、ここでいう人生心得とは理性（思想）や教養（見識）が加わります。

さらにいえば、自然に生かされた人間は単なる知識だけでなく、自然の奥深い姿を観察し、万物を生かしている見えない「真理」を心で悟ります。

そういうものに心が通ずることを私は「すぐれた知性」だと考えています。

人生は真理に沿った生き方でなければ、いくら一生懸命人生を努力していても正しい方向に物事は進まず、人生は思うようにならないことは私自身の人生経験を通しても言えることです。そして「真理に沿った生き方」とは、人間は自然に生かされていることから、宇宙すべてを支配している「自然の法則」に従った素直な生き方だと私は考えています。その「自然の法則」を説く釈尊の悟りは、真理を説いた有難い教えでありまして、その教えの核といわれる「縁起の思想」とは正に理に適った知恵だと私は認識しています。お釈迦様は「縁起の思想」を次のように説いています。

▪諸行無常（万物はつねに変化して止むことがない）
▪涅槃寂静（迷いの火を吹き消せば心の平静が得られる）
▪一切皆苦（この世の本質は苦悩・煩悩である）

「縁起の思想」は人間の目で見ることはできませんが、人間が生きゆく上での観念要素であって、その言葉の意味は人間の戒めとなり、諭しとなり、悟る力を秘めています。この「縁起の思想」を素直に自覚することで、私は心の自由を得ています。

因みに、人間にとってこの世の本質である苦悩・煩悩について、書物で得た知識を含めて参考までに話してみたいと思います。

万物がそうであるように、人間にも避けて通れない生・老・病・死の四つの苦を背負っていることは承知のことです。この苦の心理の姿を紐解けば、臨済宗龍源寺住職、松原哲明氏の著書『宇宙観を開く――華厳経』の文中で「『生』まれて喜ばれ、『老』いてじゃまされ、『病』んでいやがられ、『死』んで忘れられる。と書いていて、著者自身、これほど端的に、しかも真実を表現した例は知れません。」と語っています。私もこの言葉に触れることができて、人間の生涯の本然を客観的に見つめることができて自らを戒めています。

次は観点を変えて、人生の苦しみから逃れて一生を明るく、住みよい健やかな人生をどのように生きたらよいのか。自身が考えている重要と思える三つの人生訓を語ってみたいと思います。

■ポイント一

人生の生命線である健康を積極的に保持すること。

■ポイント二

人間社会は相互依存して生きられる社会。人間らしく理性を生かして平等心を持って生きること。

■ポイント三

一度しかない人生を尊く思い、自然の恩恵に感謝し、天命をわきまえて実践力を養い人生の完成に努力すること。

私自身、右で述べている三つの人生訓を己に課して生きています。

さらにいえば、人間自体の問題として、何よりも大切なことは「人生の本質」を知って生きることだと私は考えています。

先で触れましたように、人間は生・老・病・死に支配されているにもかかわらず、自由を求め欲望を最大限に解放しようと努力する生物です。この相反し矛盾しあう条件は、人間に誕生と同時に刻印された根本的なもので、人間はこの矛盾を自ら解放して一生を生き抜かなければならないのです。

これまで人間が健全なる生涯を生きる上において、乗り越えるべき問題を書物で得た知識を含めていろいろ述べてきましたが、やはり人間の生き方の基本は、世に言われる三種の道理である「心」、「縁」、「信念」を大切にして自然の摂理に従って生きることが人生の根本義ではないかと私は考えていて、人生を歩む中で「縁」が実り、人間が輝き出すということではないでしょうか。

物心なき人は自分を不幸にする

これまた書物で得た知識ですが、人間である自分の心の内には二つの「私」がいて、それは自我（エゴ）と自己（セルフ）で構成されているそうです。人間はこの二つの構成要素に支配されているというありのままの姿を実感して生きなければなりません。この大切さを説いている龍源寺元住職、松原泰道氏は「二人の自分との対話が少ない人は貧しい人生を送ることになる。」と説いています。

松原住職の言葉を私なりに考察しますと、人間として世間の物事を知る心の未熟な人、たとえば人生の理解力に乏しく、無智・怠惰・不誠実な人は、心が荒廃を招き一度しかない人生を完成することなく終わらせてゆくことになるでしょう。人生の悲劇も地獄も不平不満も、そうした無自覚を起点に発生していると私は考えています。故に、人生に対する精神態度が人間を幸福にも、不幸にもすると言っても過言ではないのです。その考えから、人間の幸・不幸は何処までも自覚のない自分に責任があると言えるでしょう。

以上、人々が人生を生きる上の大切な心得について述べましたが、最も重要と思える真義は、自分の内にある自我と自己のバランスをとって、人間本来の自己（理性）を形成すること、これが真理に徹した知恵であると私は考えています。

㈣ 人生成就への心得

人生をいかに生きるべきか

私たちはこの自然界に使命を背負って生かされています。しかし大方の人は忙しい日々を送っていて「人生をいかに生きるべきか」など自己を内省することはあまり切実に考えていないのではないでしょうか。

一度しかない人生を悔いのない充実したものにするために、人間なら誰もが考えたり感じたりするであろう「健康」、「精神」、「生活の知恵」についての人生心得を考察することも意義あることだと思い、私なりの意見を記しておきます。

人生心得一

人間が人生に生ずる困難を克服し、自分なりの使命と責任を果たして生きてゆくためには「健康」が第一であることは誰もが認識しているところです。

その健康について、思想家の三木清氏が『人生論ノート』の中で「『何が自分のためになり、何が自分の害になるか』の自分自身の観察が、健康を保つ最上の物理学であるということには、物理学の規則を超えた知恵がある。これは極めて重要な養生訓である。しかも、その健康論の根底にあるのは、健康は各自のものであると言う単純な故に敬虔なとさえいい得る真理である」と述べています。つづけて三木氏は「誰も他人の身代わりに健康になることはできぬ。健康は全くめいめいのものである。そして、まさにその点において平等なものである。私はそこに宗教的なものを感じる。『全ての養生訓はそこから出立しなければならない。』」と述べています。三木氏の言葉を深く噛み締めて健康の問題を引き出すと、健康の維持は自己管理の大切さを物語っていますし、反面、健康の維持に無関心の不養生は、病的なイメージを持ちます。この不養生というのも、たいていの人は日々の生活を忙しく生きている中で、あまり健康に注意が行き届かず、ともすれば健康を粗末に扱いやすい傾向の表れでしょう。医者の不養生という諺は、このことを示すものであって多くの人間がそれに気づかないのでありましょう。

こうした考察から、三木氏が語る健康論は自己管理の大切さを説いていて、不健康な現代の生き方に自覚を促すよう警鐘を鳴らしてくださっていることが読み取れます。私たち人生の旅人にとっては、人生の誓いの言葉として相応しい養生訓でありましょう。

人生心得二

人間は日常生活の中でさまざまな体験・精神的な葛藤などを通して存在することを考えますと、平素から「精神の安定」を保つことが重要です。人間の自我としての基本的要素である精神とは、いかなる機能を有しているのか。書物で得た知識を含めて参考までに話してみたいと思います。

人間は大きく分ければ「身」と「心」、すなわち「肉体」と「精神」から成っているといいます。この二つから「自我」が構成されているのです。その要素の一つである「精神」は、感覚・表象・意志・知識の働きの主体でありまして、まず、感覚は言葉を話し、その言葉を使って物事を分別する主体です。ゆえに人間の精神は、心・魂・気力の根本要素であることが理解できます。

私たちは複雑な現実生活の中で生きているとき、我が身を省すれば煩悩・妄想によって汚れていることは私自身、痛感するところです。その反省を踏まえて「精神の安定」を保つには、平素の心の持ち方が大切でして、それには自分に向き合い、他とのかかわりを深く認識して煩悩や執着心がネックになっているかどうか心を整理する素直な精神態度が必要なのです。それ故に、私たちは日常生活を健全に生きる上において、人間本来の理性や感情というものに目覚めて「精神の安定」を保つことは何よりも大切な人生心得なのです。

人生心得三

人間が充実した人生を生きるために大切なことは「生活の知恵」を得ることです。それというのも人間の日常生活においては「悩み」「苦しみ」「悲しみ」「怒り」が必然であります。こうした人生の辛苦を乗り越えるためには、忍耐強く、賢く生きなくてはならないのです。その有為な手段として、書物を読み「生活の知恵」を学ぶことも人生を育む有意義なひと時ではないでしょうか。

こうした考えの上から、私たちが毎日の生活を賢く生きるための「知恵の泉」として紹介したい賢者諸氏は人間学の権威、安岡正篤氏と文芸評論家の河盛好蔵氏、壮大な人生論を説く武者小路実篤氏です。

各諸氏の著書は、人生論や生活の知恵を備えていて、深く噛み締めていただきたい内容だと思います。

最初に紹介したい著書は、本書でも度々引用させていただいている安岡正篤氏の『人間学のすすめ』です。安岡氏は現代社会を顧みて「世の中を良くするためには、理論や政策よりも、ことに当たる人物の特性と力量が先決問題である」と説いています。この言葉は、真に私たちが人生を生きる上において人間としての信義を守ることの大切さを諭しています。

就いては同書から、多くの啓示を与えてくれるであろう知見を要約して引用します。

（安岡正篤氏『人間学のすすめ』「東條一堂先生と感化」より抜粋）

今日の時勢、われわれの生活を観察してみると、総じて枝葉末節に趨《はし》って手段的なものに堕してしまい、本質的なものを失っておる。（中略）

（同書「宗教・道徳の回復」より抜粋）

人間はこの辺でもう少し反省し、理性を回復し、人間の主体性・個性というものを確立して、落ちついて、人間、世界というものを考え直す必要がある。（中略）今日は余りにも物質的・機械的文明が一方的に発達しすぎて、これに伴うべき精神や道徳の文明が遅れている。このアンバランスが一番人類悲劇の原因で、何とか一つ人間のこの近代の産業的科学的発展にふさわしい、精神革命が必要である。何とかこれを行う方法はないであろうか、人類は再び真剣に宗教・道徳を回復しなければならん。

このように安岡氏が説く文意を省して、社会人の良識を持って、これからの日本社会の中で人生をどう生きるか、生活をどう律するべきかを考えますと、やはり人間の「心の問題」に辿り着きます。その解決には、日本人特有の宗教や道徳の回復が不可欠であると私は思っています。そこで安岡氏は、この著書の中でその宗教・道徳の建前について分かりやすく説いているので、参考までに紹介したいと思います。

（同書「道徳と宗教」より抜粋）

仏・菩薩・聖賢を拝みまつろう、ということが建前になると、これは宗教になる。省みて恥じ、懼れ慎み戒めるということが建前になると、道徳になる。したがって宗教という時には、道徳はそのなかにあるし、道徳という時には宗教がそのなかにある。決して別々のものではない。一体のものの表現を異にするだけに過ぎない。よく宗教は道徳と違うとか、いや、道徳では駄目だとか、いうようなことを申しますが、これは不徹底な、あるいは誤解された言葉でありまして、東洋では等しくこれを道と言う。道の現われ方によってあるいは道徳となり宗教となる。

以上の内容を読み解きますと、その人の人生哲学から生ずる「心のあり方」次第で道の現れ方が変わるのだと私は理解しています。現代社会でいろいろな価値観を持つ日本人の宗教観といえば、さまざまなカルト教団、新興宗教をめぐって宗教パニックに陥っているようですが、肝心な宗教の中身についてあまり論じられず、物事を表層的にしか捉えないことが多いように感じています。そもそも宗教は心の教えですし、その目的とするところは心豊かにいきいきと生きることだといえるでしょう。そうであるからには、私たちは宗教とは何かを知り、お陰様が分かることによって人間の行動様式である倫理観、道徳観を養い、柔軟な精神の持ち主になることによって、共に充実した日々を生きたいものです。

次に紹介したいのは、『人生の本――生活の知恵』のなかに収録された、文芸評論家・河盛好蔵と人道主義の文学者・武者小路実篤の論考です。

最初の人物は文芸評論家の河盛好蔵氏です。氏は「生活の知恵」について「私たちの日常生活をできるだけ快適なわずらいの少ないものにするための（工夫）である。」と述べています。毎日を賢く生きるための「生活の知恵」は、私たちの日々の生活の中で人から教えられたり、書物を読んだり、人生経験によって直接身につけたりしているものの、実は、大抵の人はその日の気分で生きていて、「生活の知恵」の本当の意義を切実に考えず、粗末に扱っているのかもしれません。それを考えますと、私たちは、その日暮らしをするような刹那的な生き方だけで良いはずがなく、人生の難局に巧みに対処していかなければならないのです。そのためには、人生の失敗や誤りを素直に反省し、その経験を知恵に変えられるよう柔軟な精神の持ち主になることは欠くことのできない修業でもあるのです。

続いて、人生において直面しなければならないあらゆる問題を取り扱っている人道主義の文学者・武者小路実篤氏を紹介します。

同氏の著作『人生について』は、武者小路自身が人生をたどる中で、偉大な宗教や思想に触れながらその活動の多様性と強い信念を持って読者に語りかけていまして、私たちにとって極めて味わい深い生命力溢れる言葉だと私は受け止めています。

そこで、多くの啓示を与えてくれるであろう知見を抜粋して紹介します。

（武者小路実篤「人生について」『人生の本――生活の知恵』より抜粋）

一

人間を自然がつくったものと見ると、人間は実に不思議によくつくられている。（中略）考えれば考えるほど不思議である。そしてこの不思議の親玉の人間は、実は見ようによれば困った存在であり、見ようによれば実に面白い存在である。

なぜ困った存在かというと他の動物と比較して自由すぎる点である。なぜ面白いかというと、他の動物に比較して自由すぎるからである。（中略）

人間以外の動物も、人間に比較すれば、ただ本能に従って生きればいいので、善悪や、それ以上の生活に入る苦労はいらない。自然のままに生きればいいのだ。彼等はだから幸福だとはいえないが、つまらぬことを考える必要はない。（中略）だから彼等は自分の生活の意義など考える必要はなく、本能のままに生きるより仕方がないのだ。しかし人間はそうはゆかない。

二

地上では人間だけが道徳の支配をうける資格のある、同時に義務のある動物なのである。（中略）人間だけが、心に恥じる生活をしなければならないのだ。（中略）しかしそういう生活をしないとおさまりがつかないところに、人間の面白さもあり、救いもあり、希望もあるわけなのである。（中略）

人間は能力を与えられすぎているので、つい虫のいいことを考え、かえって自分の手で自分を不幸にしている。他の動物は地上では人間の支配を受けるのが、宿命となりつつあるが、人間だけは人間の支配を完全にうけることがまだ出来ないのである。

だから我等は本当の生活はまだ出来ずにいる。その本当の生活を目ざして我等は一歩一歩進むべきである。

三

本当の生活とは何か。

それはすべての人間が調和して生きてゆく生活である。天下一家の理想が真実に行われ、すべての兄弟姉妹の生命が完成される生活である。これは理想的すぎるが、しかしそれを目ざして人類は進むべきものであることは事実と思う。(中略)勢い人間の一生の大半は生活に追われることになる。そして人間は正しい生活の苦をさけてごまかしの生活で楽をして、いい生活をしたいという虫のいい根性があるので、健全な社会の一員として働くよりは、病的な社会の寄生虫となって楽をすることを望むものが多く、世間では楽して金もうけをするものを羨望《せんぼう》し、そういう人間を成功者と呼ぶ。だから人間は益々不健康な生活に堕し、社会も病的になりやすいのである。

その病的がはげしくなると、勢い犠牲者が生じる。そこで不幸なものは幸福を望む。また人間の道徳がそれに心を痛め、もっとよき世界を望むことになる。(中略)

六

人間は個人的な動物にはつくられていない。(中略)我等の肉体は個人の生活のためにある。しかし我等の精神は多くの人と共に生きるためにある。だから(中略)

人々のためになると思う時は精神は安心し、また喜ぶ。精神は個人の内に窒息するために存在するものではないのである。

人生を充実させ、元気に気持よく生きてゆくには、肉体の健康も必要だが、同時に精神を鍛えることが大事である。精神を鍛えるのにはよき本を読むのも一つの方法であるが、それ以上、生活を充実させることである。（中略）人間の一生はそういつも平和なものでなく、人間は時に戦わねばならないし、虫のいい人の要求は拒絶する力も必要である。意気地なしになってはならない。しかし心がけをよくし、日々心を新たにし、時々決心を強め、生活にしまりをつけ、元気を失わず、よくものを考える癖をつけることも必要である。優柔不断はこまりものである。

人類は生長しつつあるもので、我等はたえず生長することが必要である。（中略）身体を大事にし、自分と他人の運命を狂わさないようにし、自他共に生きて、仲よく出来るような生活をすることが必要である。それには虫のいい考えを持たず、他人の生命に役立つ人間になるよう心がけることが必要である。（中略）

九

人間は万能なものではない。むしろ無力にちかいものである。自然はそれを知っている。（中略）一日無為《むい》に過ごすよりは、一善でもした方がいい。（中略）いい本をよむ。いいことを考える。何かかく、何か画の勉強する、友達と元気に話す、散歩する。（中略）

毎日勉強・毎日修業、なんでもいい、自分の専門の勉強でもいい、また人格を高める方の勉強でもいい。心がけを強め、勇気を得る勉強でもいい。身体をよくする修業でもいい。毎日何かの方法で、自己を生長さしてゆくこと、そして周囲の人々になるべく愛をもち、親切心を忘れぬこと、そして他人に要求するより、奉仕する気持をもつこと。（中略）

考えても始まらないことをくよくよ考えたり、愚痴《ぐち》をこぼしたりするのは、面白くない。それより前進すべきである。

私の所感

賢者諸氏の遺訓ともいえる社会の人々へのメッセージは、人間が毎日の生活を賢く生きる上において、物事の正しい見方とか考え方に触れていて、私たちの生活をいかに有意に生きればよいか分かりやすく説いています。

彼らの教えをいろいろ学ぶ中で、現代社会に生きる者の責任として私が特に見逃せない言葉は、安岡氏の訴える「現代社会の歪み」についての問題提起です。これは次世代を案じての警告であって、日本社会への提言だと私は受け止めています。その言葉には説得力を感じます。

その共感を得て、私たちは社会の中で一隅を照らすごとく「心掛け」を正すことが必要であり、この人間的実践行動が相互依存で成り立つ我が国の社会を充実させるための偉大な力となり得るのです。

人生は「人格」という土台があって成就する

現代人が物質文明の繁栄をもたらした「モノ」に価値を求める社会の要因について作家、司馬遼太郎氏の言葉を紹介しますと「モノの価値をきめるのは権力でなく相場である。人々は知らず知らずに合理主義者にならざるを得ない。」と語っています。

氏が論述する現代社会をつくり上げた複雑な内部事情を考察しますと、我が国は戦後、歴史上、稀にみる経済的繁栄をもたらしました。その成長過程を顧みますと、人々は情報に踊らされ、商品経済に乗せられて本能の抑制が解かれたかのように消費生活を拡大させています。この科学的体系によって、人々は本来の自己を超えて「モノ」に価値を求める社会をつくり上げています。

このように経済的繁栄を招来した現代人の心理は、今日、物質的機械的文明が一方的に発達し、その便利さに盲目的に動かされて、真の人間のあり方を考えたりする余裕を失いつつあります。また、集団化した社会に巻き込まれた現代人は主体性というものを失くして、自己を無内容にしてゆきます。そこには反省や思索を欠いてしまって、人間本来の理性ある人間であるか否かの判断すら放棄した危険な状態で人生を生きているように私は感じています。

今日、なぜこのような根っ子のない日本人が生じたのか。我が国の歴史を辿れば、その根本には、戦後、米国の自己中心主義、物質主義が過剰に入り込んできたこと、また、日本の社会を支えてきた民族の良き精神や伝統的な神道をマッカーサーが追放し、日本人の国家意識を希薄にした占領政策の影響が大きく作用していると私は考えています。

戦後の占領政策で発生した私たちの人生上の問題は、大半が教育問題が欠落していると私は考えていて、私たちは今後理性を回復し、自分という人間を考え直す必要性を感じます。

その克服にあたっては、草木が健やかに繁茂するように、人間の背骨となるべき精神（幹）を逞しく育て、心根（根）を深く養わなければなりません。このように人間としての基本の型、つまり人格という土台作りができてこそ、私たちは人間というものの価値、尊厳を高めることができて世界に誇れる「自立した文化国家」を築き上げることができるものと私は考えております。

人生成就への生命線は「実践力」

人間は、心の置き方次第で物事を前に進めることも、止めることもできる特性を有しています。ゆえに平素の生活の中で正しい思考力を持って行動しなければ、人間は未熟なため、我欲が理性を超えて暴走したり、目の前の問題にとらわれ過ぎて自己を見失ったり、人に騙されたりして自らの人生を間違った方向に導き、度々転ぶ経験を余儀なくされます。

このような未熟な姿の中に、人間という存在の面白さがあり、また生きる難しさがあるといっていいでしょう。だから私たちは、平素の生活の中で精神的な糧となる「知恵の根」を養い、人生に役立てて毎日の生活を賢く生きることが大事なのです。

就いては、右で触れた「知恵の根」について話してみたいと思います。

人生を充実して生きるためには、物事に関して人生を正しく導くために観察力が必要であります。それには次に掲げる三つの知恵の根を養うことが肝要です。

一、物事の本質を見極める知恵
二、欲望を客観化する知恵
三、自己を省察して己の無知を知る知恵

以上の三つの「知恵の根」を日々その生活行動の中で知恵として活かすことで、物事の真意を見分けることができて、「人間力」が養われるものと私は考えています。それに加えて、人生を成就するには人生の志を継続する意志が不可欠です。

その意志は「欲望」「信念」「勇気」が心に作用して「実践力」となります。右で触れた「人間力」と「実践力」の二つの人間の本質的要素をつくることが、人生を正しく全うする道だと私は信じています。

第四章　未来につづく人々へ

(一)「すみれの花」のごとく生きてこそ

野辺に咲く「すみれの花」は、厳しい冬に耐えて早春に咲きます。

その姿は根強く清楚で美しい。真に希望の花です。

人間はといえば、人生に宿る生・老・病・死の必然の厳しさに耐えてこそ、人生の花を咲かせます。

その姿は個性を磨き、正しく、忍耐強く生きてこそ真に希望の人です。

人間の一生は、「すみれの花」に似て養え春のごとく。

(二)歴史や伝統文化に学ぶ

日本建国の父、聖徳太子の教え

日本社会の諸現象は、日本国憲法に集約されていて、さまざまな分野の中で「経済」と

「防衛」は国家の存続を担う基盤です。従ってこの分野が健全に国力として機能しなければ、昨今、世界の大国が国家戦略として「核」を抑止力として国益を守り、国の存亡をかける国際環境の中で、日本は埋没してしまう危機にあります。

この危機意識を持って日本の在り方を考えますと、まず国家の経営と国民の生活を支える経済について、日本は戦後、経済政策を重要に考えて、強大な経済力を有する大国に成長して世界の国々に大きな影響力を与えています。

次に国防については、その目的は言うまでもなく、他国の侵略を未然に防止し、もって民主主義を基調とする日本の独立と平和を守ることにあります。そこで、右記の事を再認識する意味で、我が国の国防を憂う状況とその問題意識としての日本の歴史的背景について述べてみたいと思います。

一、アメリカは戦後、日本の弱体化政策で国旗や『君が代』などに見られるように日本人の歴史的・精神的文化なるものを排除したことが、今日の日本人の精神的活力を喪失させた大きな要因になっていると思われる。

二、日本は戦災復興を成し遂げて経済立国に成長。しかし、あまりにも無反省の発達から国民は物質的な刺激に駆り立てられ功利主義、享楽主義に陥り、精神や道徳が堕落しやすい社会が形成された。この姿は日本が群集心理というものに支配されて人間が無内容化しており、人間の使命が見えなくなっているように思われる。

この現代病ともいえる社会風潮から決別するためには、日本人は現実的に重要な精神の健全性に目覚めて出直さなければなりません。それには国の政務を執って国民の運命を握る政治家の責任は重要であります。

政治家が頽廃・無能振りを発揮していては、民族が亡びるという現象が起きてきます。そうなる前に国民は私たち民族がどうなるのかという危機意識を有して考え直す必要があると思うのです。そこで、この日本が抱える厄介な病をいかに克服すべきか。社会学者・橋爪大三郎氏は著書『世界がわかる宗教社会学入門』の中で、「過去を忠実に辿ることが、人間にとって最高のあり方である。」とし、課題解決への糸口を説いています。

ここで、今日の日本を成り立たせる価値も意味も過去の世界に支えられているという現実を理解することが必要との考え方に立った歴史的史実の一例として、実質的建設者、聖徳太子（厩戸皇子）の人物・学問・政策面における非凡な見識を取り上げてみたいと思います。

『日本の名著2　聖徳太子』の文献によれば、七世紀後半から八世紀にかけて、日本は民族意識を高揚し、律令国家体制を確立する必要に迫られていたことを学ぶことができます。

当時、聖徳太子は複雑な氏族制度社会の中で仏教を政治の基調におくことによって、諸部族の間の対立を緩和しました。そして、政治の面においては、政治の基本原理を述べたものとして「十七条憲法」を制定し、国家の官吏の遵守すべき原則的な心構えとして和合の重要性を説いて社会生活の基軸にしています。

そしてまた、外交面では、私たちが暮らすこの極東の島国の権威付けと豊葦原の瑞穂の国の民を守るために世界最強国家「隋」と対等の国交を開始して、多くの留学生や学問僧を彼の地に送って外国文化との接触交渉を行ったといわれています。

これらの生産性外交によって、従前の氏族制度社会を根底から革新して統一国家として飛躍的発展を遂げたことが、歴史の足跡から読み取ることができます。

そこで私が敢えて申し上げたいことは、当時の歴史的背景と今日の日本社会の背景を対比してみますと、今日の日本はアメリカと安全保障条約を結び、防衛面でアメリカの「核」の傘の下に入り国家の安全を他国に依存しています。この姿は、我が国の国益を守る後ろ盾である防衛において、健全性を欠いています。従って国家の安定を構築する上からも、我が国は自立国家としての改革を実現しなければならないことは明らかであり、まして現代社会に生かされている私たちはその改革の責任を強く自覚する必要があると思います。

その意味において、聖徳太子の国づくりの見識は敗戦から七十余年を経た今日、我が国を自立国家として蘇らせるための現代人に向けた諭しであるに違いありません。

日本人の心根「和の精神」

我が国の現代社会の姿は、物質文明が栄えている一方で、精神文明の衰退が窺えます。その背景を探れば、現代社会に生きる人々が欲望を最大限に解放しようとする「エゴ」の克服ができない人間の弱さに起因しているのではないかと感じます。

このような現在の世相の中で、日本の行く末を案じて特筆すべきことは、日本は戦後の占領政策の影響を引きずっていて、国民の国家意識が希薄になりつつあることです。今一度日本の歴史を点検し、反省した上で現代を振り返る必要があるのではないかと私は思っています。そこで、右で触れた我が国の過去の反省とは、戦後の占領政策で国家論がタブー視されたことが、我が国の社会に影を落としていて、日本の風土で培われた精神や道徳が軽んじられていることが原因ではないかと推察します。それを修復するための教育の基本は、日本風土と歴史を背景にした日本人の精神的活力の回復です。それは日本人としての基本型作りが必要で、それには日本人の「心の原風景」を取り戻すことが重要なのです。私が考える「心の原風景」とは、春は桜、秋は紅葉に代表される自然との対話であったり、人間関係を心に問えば「和の精神」であったり、口を開けば物事への感謝でありましょう。

この日本の風土に培われた精神文化を大切に扱い、人間性豊かで雅やかな伝統文化の遺産である「和の精神」を後世に引き継いで、日本の誇りとすることが、国際社会の中で日本人の自立心を持って、文化国家としての信用を築く道だと私は考えています。

(三) 現代に生きる人々の大義

人間を一貫する立命

夜明けの地平線から雄大な太陽が天空へと昇り、全世界を明るく照らして万物たちに生命の光を浴びせる。その姿は円満です。この太陽の恩恵に感謝し、自分の存在に思いを馳せれば、己の命が万世一系の縁の糸で奇跡的に生かされていること自体、不思議に思えてなりません。この生は、神の意志による必然の法則に導かれてのことなのであろうか。そう考えることがあります。もしそうだとすれば、自然界において人間が存在する大義とは何なのでしょうか。それについて述べたいと思います。

それは神が目的としている宇宙の進化と向上を遂行させるために、自然界において人間に万物の霊長としての地位を授けて、その使命と発展を人間に託したのでしょうか。その深層は神の企みではないかと私は推察しています。

そして、その天命を背負った人間の一生に思いをめぐらせば、人間は「自我」と「自己」の二つの草履を履かされて、矛盾を背負っての旅路です。よって我々の人生は、一生懸命に思考・意志を働かせても思いどおりには生きていけないのです。

ですから、私たちは身と心の調和を上手に扱い、生きる必要があります。そのためには人生において縁を大切にし、自身との奮闘によって忍耐強さを培い、自分の存在、自分の仕事というものを発展させて運命を切り開いてこそ、夢の実現と誇りある人生が成就されるのではないでしょうか。

以上のことから、自然に生かされた人間の使命とは、神の企みに従った宇宙の進化の向上に資する生き方であり、その神の意志を可能にするためには、その天命観を心に宿し、万物の霊長たる理性（善）を生かしてこそ、人生に生ずる恐怖や迷いの念から去ることができて、人生を成就することができるのだと私は考えます。

日本は社会の価値がマネー一色に染められた生きにくい社会。もっと自然に親しみ心に余裕を

現代の日本の姿は、物質文明の無反省の発達から多くの人々が自己の利害関係のみを本位とした、自己中心で相手の気持ちを考える余裕を持たない生き方が社会に蔓延していて、格差、少子高齢化社会という文明病を患っているようです。

そのように多くの人々が我欲を優先して生きる世相の中で世の賢者たちの言動に注視すれば、「現代という時代は社会の価値がマネー一色に染められていて人々の多くは現世利益を尊ぶあまり欲望にとらわれて金銭が幸福の第一条件になっているようだ」と評価されています。そして、ある賢者は「人間の本質は理性を備えた知性の発動をなしてゆくことだ」と、現代社会に一石を投じています。

この先人たちの言葉は、現代社会の堕落した実相の世を憂いていて、現代社会に責任を担う私たちは深く自覚し、反省すべき提言だと思います。

このように極めて功利主義の弊害を痛感する世相において現代人に求められているのは、人間本来の理性と我欲の調和ある行動、精神的健康を回復することです。そのためには、現代人が生活に追われ、心が自然と離れゆく世相であればこそ、人間本来の理性、人間の使命を見失わぬことが大事です。時には自然に親しみ、鳥の声や風の音、水の音を聞き入

れ、山野の草花にも目を配りながら人間と自然が一体となることで、目に見えない自然の奥深い姿を五感で感じ入ることで、自然力の空気によって生かされていることに気づいて人間本来の理性を呼び戻すことができると思うのです。

真に自然を慈しむ心の余裕は、現代の日本社会で忙しく生きる人間の心の防衛への大義だと私は考えています。

健全な自然観を養うことが、人間が正しく生きる道筋

☑ 我欲から為る業

今日世界の大国を筆頭に、経済発展途上国が現世利益を尊び物質文明を享受している陰で、人間は自然の生命線である森林を無計画に崩し、木を伐採して乱開発を進めています。さらに、世界の海域には産業廃棄物から生じたプラスチックや発泡スチロール類が蓄積されて自然破壊を拡大しています。いまや地球上は汚染や公害に象徴される環境破壊や気候変動問題など、人類の未来に暗雲が立ち込め、その姿は自然（神）が企む天地創造への調和を失った人間の我欲から為る象徴的欠陥といっても過言ではありません。

このように人間中心の歪んだ進歩の傷は深く、我欲の集積から生じている自然破壊を続ける限り、人間は神から授かった万物の霊長としての理性を喪失してこの地球上から消滅

する裁きが下るのではないかと、私自身、五感を通して感じることがあります。

何故ならば人間が自然の摂理に順応できなくなってきているからです。

誰かも、この人間と自然との係わりを「この社会現象は多くの世界の人々が自分のことが分からなくなってきており、明日というものがどう開けるかが検討つかなくなっているのではないか。」と現代の世を憂いています。

そこで、人類が正しく生きる道筋に立ち返るためには、人類の危機の実態を再認識し、自覚・反省することが重要で、その意味において人類世界に今求められる緊急の課題「自然の秩序を学ぶ」に相応しい文献を次に紹介してみたいと思います。その著書はすでに前に紹介しました『森と水の思想』です。福岡氏は、この著書の中で人間が「自然の法則」を無視する実態を克明に説いていて、その内容に含まれる説得力は現在に生きる人々の共同意識の醸成に役立ち、人間と環境についてさまざまな示唆を与えてくれます。ついては、一部を引用してご紹介したいと思います。

引用一

自然保護の迷路――集団主義イデオロギー――

（福岡克也『森と水の思想』「第一章　自然と人間」より抜粋）

「民信なくんば立たず」という言葉がある。政治が政治たるためには、人間の信頼関係がなくては成り立たない。愛と信こそ、人間が生きる不可欠の条件である。自然に対しても同様である。「民愛なくんば立たず」である。人間は自然の生命力とエネルギーをエンジョイして生きているのだから、仲間としての自然の基本的法則を知り、それを愛しそれとともに生きて行くことが大切である。まさしく、それが人間と自然の相互共存の原則である。日本人も信とともに自然に対する愛なくんば立つことはできない。

私の所感

自然に対する日本人の行動として政府の政策のあり方を問うてみても、福島原発事故は多くの教訓を私たちに残しました。私たちは、人間社会の安心と安全を人間の精神態度に委ねているということに深い責任を背負って生きてゆかねばならないのです。

私は世界最初の原爆被災地に居住する人間として、その思いを切実に受け止めて生きています。

引用二

（同書「第二章　環境を守る文化の再生」より抜粋）

われわれは、地球の環境が生きるに相応しい条件を、常に与えてくれる可能性を信じ甘え過ぎている。人間中心の歪んだ進歩の傷が深く、われわれは、緑を守るどころか、根源的に自然自体の破壊を防ぎ、環境自体を生物と生命の存立に相応わしい状態にまで回復させなくてはならない危機に立ち至っているのである。

私の所感

地球上に蓄積された汚染物質や核の脅威によって自然の消滅に至る前に、人類が消滅の危機に追いやられることも疑いないことです。

それは人間本来の理性より我欲を優先させる過剰ともいえる社会をつくり、そのことが自然と人間の共生の調和を乱す対立関係にあるからです。

引用三

日々作り出される汚染物質は、短期ではフロー（流れ）の性質をもち、人知れずどこかへ消え去ってしまうことから、差し当り、我身には関係なしと思ってしまう。しかし、日々これらのフローが、地球上のいずれかに蓄積されるというトータルなつみ重ねこそ危険なのである。（中略）すべての人々に対して無差別に働き、何人もこのマイナスの危害を避けることができなくなる。大気には国境なく、地球は一つである。この生命共同体において「自然自体の破滅」は、人間の文化の破滅をも意味する。（中略）過剰伐採による原生林の絶滅と同様、苦い経験と汚点を歴史に残すことになろう。

私の所感

人間は歯止めの利かない欲望によって自然自体を破壊しています。このような生き方は、自然に生かされた人間が自然の創造主である神を冒涜した行為であることに疑う余地はありません。

人間は自然からの報いを受ける前に、万物の霊長に相応しく人間本来の理性を生かした、自然と人間が共生できる調和ある生き方を強く自覚すべきであることを訴えたいです。

引用四

（同書「第九章　エコロジー文化の創造へ」より抜粋）

物質文明と経済成長、環境破壊と戦争を含む暴力的威赫に混濁した現代に対する行き場のない不安と不信を強烈に表明しようとする意図からであり、それ自体、現代の世界的矛盾を象徴したものであるといえよう。

今や現代は重大な岐路にある。核抑止力のバランスに立つ地球の平和を、人間が緊張の極点に立って、ある日突然、狂気の引き金をひき、一瞬にして崩壊させないと誰も断言できないであろう。終末に先立つ汚染と破壊が既に公然と進められている以上、人間は、神の啓示としてその本質を透視し、理性と勇気を以て破局の阻止に立ち上がらなくてはならない。果てしない試練の門出にあって、困難な道を歩むことを避けて、誰が未来への脱出を助けてくれるであろう。

私の所感

物質文明の繁栄の陰には、先進国をはじめ利益を優先させた森林開発や工業化に走り、現世利益を求めるあまり人間の生命基盤を失わせる人類文明上の危機的問題が、今も放置されたままになっています。このような利益に固執した短絡的リアリズムが世界を支配しているからには、人間の自由で平和な社会は訪れないばかりか、人間は破壊を繰り返す中で万物の霊長の地位を剝奪されるかもしれません。人間は自然からの報いを受ける前に万物の霊長としての存在価値を認識し、健全なる自然観を養う必要があるのです。

そこで、自然観を養うとはいかなることなのか、私の思いを述べてみたいと思います。

自然界には自然の摂理が永遠に存在し、人間に万物の霊長としての理性を授かっていること自体、人間に対して自然からの厳然なる期待と受け止め、それに従い己を律することが、生きる上において極めて重要な真義です。さらにいえば、自然は決して人間に生きる道筋を「正せよ」と問いかけてはくれません。ですから私たちは、自然の秩序に沿った生き方ができているかどうか時には自問し、自然と人間の共存の必要性に思いをめぐらせてみることも大切な時間の活用法なのです。

以上、いろいろな現代の世の物質至上主義ぶりを書き並べましたが、そうは言っても良識ある人々は、現世利益を尊び我欲を優先する生き方は、決して本意としているところではないのです。

次は心の置き所を変えて、人間本来の理性を優先した「人間らしい生き方」の重要性について語ってみたいと思います。

☑理性のなせる業

現代社会における物質至上主義の難題を克服するには、心の面からの社会改革を実現しない限り、希望と確信を得た未来は構築されないのではないでしょうか。それを可能にする人間力は、人間の我欲を超え理性を優先する意志力であるに違いありません。その意志力について話してみたいと思います。

人間は神から「善」と「悪」の引き出しを自由に扱うことを委ねられているようです。ですから人間本来の善に導く理性を生かす意志力を喚起するには、清濁を併せ呑む人生ならばこそ、時には立ち止まることも、人間らしく一生を有意義に生きる上において大切な時間なのです。その人間の意志を左右する心の内には、二人の自分が同居しているようです。一人は「自我」であり、もう一人は「自己」です。人々が日々の生活で忙しさに追われる人生時間の中で、「自己」を意識する意志を養うことで、人間本来の理性に目覚める機会を得て、そこに未知なる真理の発見があるのです。

それは人生の価値を高める時間なのです。

因みに、現代を生きる人々が巨大な管理社会の中に埋没し、自らの思考力を喪失している時代において、不自然な生活で間違った方向へ行っている人たちは、自然の恩恵に感謝し、人間社会と子孫の繁栄に使命を果たす厳正なる人生観を抱いて人生を成就しなければ、この世に生かされた価値を一生見出せないのではないでしょうか。

このような誰もが人間として抱える問題について、理性を優先させて生きる心得として、目に見えない真理を自然の姿によって見透かして私たちを導いてくれる哲学者・西田幾多郎の論考を『日本の名著47』から紹介させていただきたいと思います。この本は人生を充実して生きる上で、私たちの自己改革に役立つ価値ある書籍ですので、深く噛み締めていただければとの思いです。

その一

（西田幾多郎「善の研究」〈第八章　自然〉『日本の名著47』より抜粋）

自然には自己がない。自然はただ必然の法則に従って外より動かされるのである、自己より自動的に働くことができないのである。それで自然現象の連結統一は精神現象においてのように内面的統一ではなく、単に時間空間上における偶然的連結である。

以上の西田幾多郎が述べる文意から自然と人間の係わりを考察しますと、人間は自然界の摂理に従わないと自然は自己がないので対立関係を生じることになり、自然対人間の関係においては人間は健全な自然観を養って生きなければならない宿命を背負わされた理性的な生き物であるといえよう。

さらに一歩進めて、人間存在の真実を究めることにおいて人間の最上の善は何か。

その二

人間は肉体の上において生存しているのではなく、観念の上において生命を有しているのである。(中略) そこで観念活動というのは精神の根本的作用であって、われわれの意識はこれによりて支配せらるべきものである。(中略) 観念活動の根本的法則とはいかなるものであるかといえば、すなわち理性の法則ということとなる。(中略) 理性というものがわれわれの精神を支配すべき根本的能力で、理性の満足がわれわれの最上の善である。何でも理に従うのが人間の善であるということになる。

(同書「第十章　人格的善」より抜粋)

西田幾多郎は昭和二十年に死去していますが、自然と人間の精神を密に説く西田哲学に導かれて、人間が自然を破壊し生命の基盤を失わせる時代を迎えている中で、人間が正しく生きる道筋に立ち返るための手段は無いものかと考察しても、現代に生かされた人々が恣意的で自分の都合のいい我欲を人間本来の理性を超えて優先させる限り、それは人間と自然の共同体的結合を切断する生き方であって、そこには現在を生きる人々の自然を敬う心は微塵も無いのです。

ですから現代という時代に生かされた私たちに求められる重要な課題は、人間の限りを知らない欲望のけじめを自覚し、自然に対する責任というものを人間は背負わなければならないのです。

(四)　人生の奥義とは

道元禅師に関する逸話に教えを受けますと、坐禅とは、「自我（エゴ）と自己との対話にほかなりません。坐と言うのはよく見ると、土の上に二人並んでいますが、これは意味がありまして、自我と自己の二人の自分の対話が断絶しないように対話することが、坐禅の意味です」と説いています。

そこから学ぶことは、二人の自分、つまり「自我」と「自己」の対話が不足すると、身勝手な「自我」が暴走して、本来の清らかなはずの「自己」を見失ってしまい、人生における悩みが生じてくるのだと思われます。

因みに、個人生活と社会生活それぞれの健全性を損ねている生活態度を観察してみますと、まず、個人生活の場面では、現代における多くの人々の自己中心主義に偏重された人生観では、我欲を優先させた生き方でありまして、そこには自分の心の対話不足が誘因しています。

そして社会を覗いてみますと、今日は人間が組織人・機械人の一部になって、本当の自分というものを掴んでいないがために、相手の立場を考えることなく、利己心から騙し合いの争いが生じています。

チベット仏教主十四世のダライ・ラマは、「争いは自身の煩悩・マイナス思考にある」と語っています。

この言葉の意味するところは、己が無知であることから争いや迷いが生じるのであって、その意味においては自分に責任や自律的精神が欠けているところが起因しているものと思われます。

以上の二つの「例題」からも、人間が煩悩を携え、複雑多端な人生を生きていくには、物事の奥にある実相が分かるようになることが知恵というもので、その修養が人生の奥義でありましょう。

あとがき

私が暮らす里山周辺の緑豊かなクヌギの木々も、四季はめぐり既に神無月の変化から冬枯れの様相を現しています。

その姿を眺めて連想するのは「案ぜられる日本の姿」です。

国家の自覚と国民の責任

戦後経済国家として再生したい敗戦国日本は、自力で他国に対して国防を全うできる能力は持ちえず、アメリカと日本の日米同盟の根幹をなす安全保障条約を結んでその核の傘の下に入るしかなかったと私は考えています。この安全保障条約の締結は、米軍への基地提供と日米防衛義務を盛り込んでいて、それは両国の異なるニーズを支えアジア・太平洋の安定という共通の利益を守るために双方の国家が同一行動をとる同盟であったと思います。

このように戦後の日本の国家戦略は、アメリカと友好関係を結び防衛を他国に依存し、自由と平和を維持していく路線をとり、その一方で戦略的に経済を重視し強大な経済国として国家を再建しました。

ところが令和の時代に入り、友好国アメリカから日本に飛び込んできたニュースは、トランプ大統領の同盟軽視の声明です。その内容は、北朝鮮の「核」・ミサイル強化、サイバー攻撃の国際的責任の問題に触れて「これは晋三（安倍首相）の領域」だと唱えたというものです。これはアメリカ自体の近視眼的な判断だと私は思っています。

しかし、右で述べましたトランプ大統領の同盟軽視の声は、現代に置かれた日本の国家体制を考えますと、私は天の声だと受け止めています。

それというのも、我が国が慣習的に日米安全保障条約の庇護に頼り、自国の防衛を他国に依存し続けて自立精神や民族的プライドを失っているのが現状だからです。このことを鑑みますと、私にとっては国家の繁栄を考える中で日本の危機感のなさを脅威と見ざるを得ません。そこで日本はアメリカに対する漠然とした期待や無原則の防衛体制から目覚めて、国の存続と安全を守るために国の自覚と責任において国防体制を確立する必要があると私は思っています。それには日本を取り巻く隣国との最悪のシナリオを描いて、日本独自の国家戦略を構築する必要があります。

以上のことを踏まえて、現代の世界情勢下で日本にとって無視できない隣国との関係について挙げれば、朝鮮と韓国における日本に対する歴史的認識の問題と統一に向けた危機管理の問題、中国の巨大化と朝鮮半島統一の可能性の問題、ソ連の北方領土の問題と日本への領空侵犯の常態化に対する危機管理の問題、また、友好国アメリカの一国至上主義への懸念を厳しく危機意識を持って見守る必要があります。

さらに日本の危機管理意識を具体的に挙げますと、世界の大国が科学技術を転用して「核」やミサイルを防衛戦略として保持している中で、日本は国防を他力本願のままで「独立国家」として存立できるのでしょうか。

日本は三十年前から経済の低下、人口減少、高齢化社会、格差社会の現象が顕著であります。以上の観点から、日本は歴史の分水嶺に入ったと私は考えています。戦後七十余年にもなると、本論で問題提起しましたように、日本の背骨である教育問題、エネルギー問題、そして安全保障条約の評価を行い、日本の国家的課題を問うていかなければならないと思うのです。その一石を投じるため、私の国家観について、是非多くの方に書籍として届けたいと思った次第です。

そこで本書をまとめるに当たって、私の心に響いた碩学の方々の憂国の思いと社会を正視する理性的志向を引用して、読者に訴える言葉としました。この碩学の方々の教えと導きが無かったならば、本書が存在しなかったことは確かで、ここに深く御礼申し上げます。

また、本書の編集に当たりまして、私の従姪、佐古奈々瀬さんには原稿のワープロ打ち、文章の校正など多大なご協力をいただき心から感謝を申し上げる次第であります。

（了）

参考および引用文献

◇人生の本
安岡正篤『人間学のすすめ』（福村出版）
松下幸之助・池田大作共著『人生問答（上・下）』（潮出版社）
セネカ『人生の短さについて』（岩波書店）
亀井勝一郎・臼井吉見編『人生の本（第1）——生活の知恵』（文藝春秋）

◇心の本
橋爪大三郎『世界がわかる宗教社会学入門』（筑摩書房）
松原泰道『こころの開眼』（集英社）
瀬戸内寂聴・梅原猛ほか『般若心経のこころ』（プレジデント社）
中村天風『叡智のひびき』（講談社）
松原哲明『宇宙観を開く——華厳経』（集英社）
上山春平編『日本の名著47　西田幾多郎』（中央公論社）

◇日本の歴史
竹内理三『日本史小辞典』（角川書店）
中村元編『日本の名著2　聖徳太子』（中央公論社）
司馬遼太郎『この国のかたち』（文藝春秋）

◇日本の現状と課題
中曽根康弘『日本人に言っておきたいこと――21世紀を生きる君たちへ』（ＰＨＰ研究所）
後藤田正晴『日本への遺言』（毎日新聞社）
福岡克也『森と水の思想』（世界書院）
中曽根康弘『二十一世紀日本の国家戦略』（ＰＨＰ研究所）

濵田　和彦（はまだ　かずひこ）

1943年山口県光市生まれ。山口鴻城高等学校卒業。広島市職員として42年間勤める。主税課を始め財政局、経済局などを歴任。経済局観光協会次長時代には「国際平和都市ヒロシマ」として、恒久平和と未来都市作り両輪のビジョン構築に情熱を注いだ。

国家の自覚と国民の責任

2021年11月30日　初版第1刷発行

著　者　濵田和彦
発行者　中田典昭
発行所　東京図書出版
発行発売　株式会社 リフレ出版
〒113-0021　東京都文京区本駒込 3-10-4
電話 (03)3823-9171　FAX 0120-41-8080
印　刷　株式会社 ブレイン

ISBN978-4-86641-472-0 C0095
Printed in Japan 2021